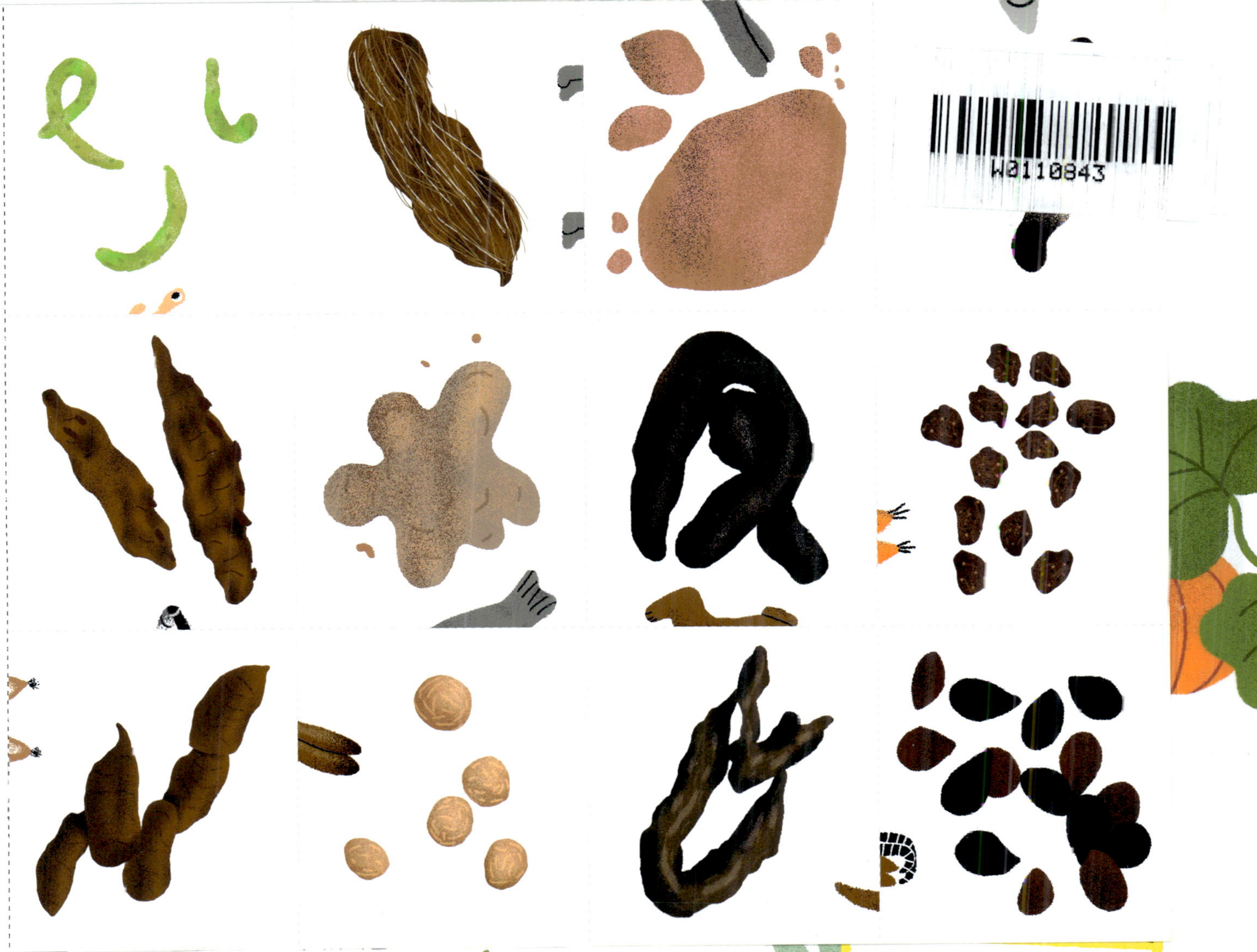

Alors, toi, tu adores te **SALIR** ?
Tu aimes jouer dans la gadoue et en mettre partout ?
Eh bien, les animaux aussi. Boules de bouse, bave gluante,
bains de boue et repas dans les poubelles…
Les P'tits Cracras ont la vie belle !

Alors, viens découvrir leurs secrets avec **DES DEVINETTES, DES JEUX** et **DES ACTIVITÉS** !

P'TITS +WEB : petitesalamandre.org

DES SURPRISES T'ATTENDENT SUR NOTRE SITE !

DEVINETTE

QUI ROULE DES BOULES DE BOUSE ?

Oooh hisse ! Avec ses pattes arrière, il pousse une grosse boule... de caca. Eh oui, **LE BOUSIER** adore ça. Il en mange à tous ses repas. D'abord, il presse des crottes de mouton. Puis il roule la boule jusqu'à son terrier. Au milieu, la femelle y pond des œufs. Ses bébés vont se régaler. Grâce au bousier, il y a moins de bouses dans les prés.

MINI-JEUX DU BOUSIER

LABYRINTHE

PAR OÙ DOIS-JE ROULER MA BOUSE POUR L'AMENER AU TERRIER ?

CODE

BARRE LES B POUR CONNAÎTRE LE NOM DE MA FAMILLE.

B C B O B B L É B O B P B T È B B R E

JUMEAUX

BARRE LES INSECTES EN DOUBLE. CELUI SANS JUMEAU MANGE AUSSI DU CACA !

COMPTER

Y A-T-IL ASSEZ DE BOULES DE BOUSE POUR CHACUN DE NOUS ? OUI ☐ NON ☐

LA BELLE BOUSE DU BOUSIER

UNE HISTOIRE À LIRE ET À DEVINER À 2.

À la campagne, l'automne est arrivé.

La  a remplacé le  et les  tombent des arbres.

Dans le pré, les  broutent de l'. C'est aussi là que vit monsieur .

Et aujourd'hui, il est affamé. Voyons, que pourrait-il manger ?

Une  odorante ? Beurk !

Une  croquante ? Pouah ! Du bois, ça va pas ?!

Une  volante ? Berk !

Une  fondante ? Quoi ? Elle est toute collante...

Une  brillante ? Non, non, non : les fruits, non merci !!!

Une  craquante ? Jamais !

Tout ça, il n'aime pas.

Ce que monsieur  veut grignoter est très particulier.

D'abord, ça sent mauvais. Ensuite, c'est marron comme du .

Mais oui... du  !

Et pas n'importe lequel. Le  de , c'est le meilleur pour les gloutons.

Alors avec ses pattes arrière, il roule une  jusqu'à sa , le terrier.

Le déjeuner est prêt. Bon appétit, petit  !

TES CROTTES EN CHOCOLAT

À FAIRE AVEC UN ADULTE

POUR 20 CHOCOLATS

200 G DE CHOCOLAT • 150 G DE BEURRE BIO • 2 JAUNES D'ŒUFS BIO
60 G DE CRÈME FRAÎCHE ÉPAISSE BIO • 50 G DE CACAO EN POUDRE

1

Un adulte fait fondre le chocolat et le beurre au bain-marie.

2

Ajoute les jaunes d'œufs et la crème. Mélange bien.

3

Place au frais durant 3 heures.

4

Prends un peu de pâte et forme une boule avec tes mains.

5

Roule chaque boule dans le cacao.

C'est prêt !

L'ASTUCE DE SAM **Tu peux mélanger à ta pâte des noisettes ou des noix bio. C'est de saison !**

QUI FAIT PIPI PARTOUT CHEZ LUI ?

Dans la campagne gelée, il dépose près d'un rocher un pipi… parfumé. Puis un deuxième à l'entrée de la forêt. Et encore un troisième à côté du pré ! Pour marquer son territoire, **LE RENARD** fait pipi du matin au soir ! Souvent, il se roule dedans et se frotte ensuite sur les troncs et les cailloux. Si une femelle passe par là, elle le sentira…

MINI-JEUX DU RENARD

LE BON ORDRE

REMETS CES PHOTOS DE MOI DANS L'ORDRE. JE CHASSE LE MULOT !

MÉLI-MÉLO

COLORIE MES 5 COPAINS CACHÉS DANS L'IMAGE.

LE BON MOT

TERMINE LA PHRASE. _ _ _ _ _ _ _ _

Je mange de la viande, je suis carnivore / herbivore.

COCHER

JE FAIS PIPI COMME LUI. QUI EST MON COUSIN ?

☐ 

Le hamster

☐ 

Le chien

☐ 

Le chat

☐ 

Le lapin

LA CAMPAGNE DES RENARDS

RETROUVE-NOUS DANS L'IMAGE.

EST-CE QUE TU VOIS LES...

- [ ] 2 cacas tout frais ?
- [ ] 3 mâles qui font pipi en levant la patte ?
- [ ] 4 femelles qui font pipi accroupies ?
- [ ] 5 renards qui sautent pour chasser les mulots ?
- [ ] 6 renards qui dorment roulés en boule ?
- [ ] 7 renardeaux qui jouent ?

BONUS **Combien sommes-nous en tout ?** __ __

QUI DOIT PÉTER POUR SE SAUVER ?

Dans la maison, près de la fenêtre, volette une drôle de p'tite bête toute verte. Elle rentre se réchauffer car dehors l'air est trop frais. Mais **LA PUNAISE** reste sur ses gardes. Un chat rusé ou une araignée affamée ? Au moindre danger, elle pète pour se sauver ! Cette odeur alerte ses prédateurs : «Je ne suis pas bonne à manger». Beurk !

MINI-JEUX DE LA PUNAISE

DESSIN

TERMINE ET COLORIE CE DESSIN DE MOI EN RECOPIANT L'EXEMPLE.

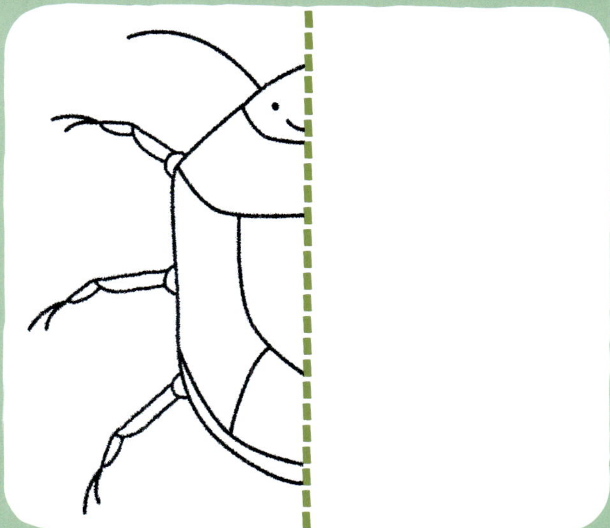

CODE

QUI PÈTE AUSSI POUR SE SAUVER ? AIDE-TOI DE L'ALPHABET POUR DÉCHIFFRER SON NOM.

LA BONNE IMAGE

MES ŒUFS SONT VERTS, RONDS ET TOUT SERRÉS. COCHE-LES.

COMPTER

COMPLÈTE-NOUS : ON A TOUTES 6 PATTES, 2 AILES ET 2 ANTENNES.

MA FAMILLE PUNAISE

NOUS, LES PUNAISES, ON PEUT ÊTRE TRÈS DIFFÉRENTES LES UNES DES AUTRES.
COLORIE EN **BLEU** LES PUNAISES À RAYURES.
COLORIE EN **ROUGE** LES PUNAISES À MOTIFS.
COLORIE EN **VERT** LES PUNAISES SANS MOTIF.

TES SACHETS PARFUMÉS

TISSU DE RÉCUP • FICELLE • CISEAUX • LAVANDE SÉCHÉE

Découpe le tissu en carrés de 15 cm de côté.

Dépose au centre un petit tas de fleurs de lavande.

Rassemble les 4 bords et referme ton sachet avec la ficelle, en faisant un nœud.

Glisse un sachet dans tes tiroirs ou ton armoire. Quelle bonne odeur !

L'ASTUCE DE SAM **Pas de ficelle ?**
Tu peux couper des petites bandes du même tissu pour attacher tes sachets.

DEVINETTE

QUI GLISSE SUR SA BAVE GLUANTE ?

Oh, une ligne brillante entre les choux et les citrouilles. Ça, c'est la trace... de **LA LIMACE** ! Elle fabrique une bave gluante : le mucus. Il lui permet de glisser sur son pied sans se fatiguer. Et quand elle escalade un mur ou une clôture, sa bave devient une colle super solide. La limace peut rester accrochée la tête en bas. Wouah !

CAP OU PAS CAP ?

4 MINI-DÉFIS À RELEVER AU JARDIN !

SUIVRE LA PISTE

Sur la terrasse, sur un mur
ou sur un pot…
Cherche autour de ta maison
la trace brillante laissée
par la limace.

STOPPER LES LIMACES SANS PESTICIDES

Protège les semis en installant
des demi-bouteilles de récup
dessus ! Ainsi, les limaces
ne peuvent pas
les grignoter.

SAUTER DANS LES FLAQUES

Enfile tes bottes et splash !
Saute à pieds joints
dans les flaques.

TOUCHER UNE LIMACE

Cap de la poser délicatement sur
ta main ? Sa peau est froide
et mouillée. Repose-la
où tu l'as trouvée.

L'AUTOMNE AU POTAGER

DANS LE JARDIN, ON EST BIEN ! COMPTE-NOUS.

Il y a __ limaces la tête en bas.

Il y a __ limaces léopards.

TORTUE

LOUTRE

PUTOIS

LAPIN

ÉCUREUIL

PIGEON

LES P'TITS

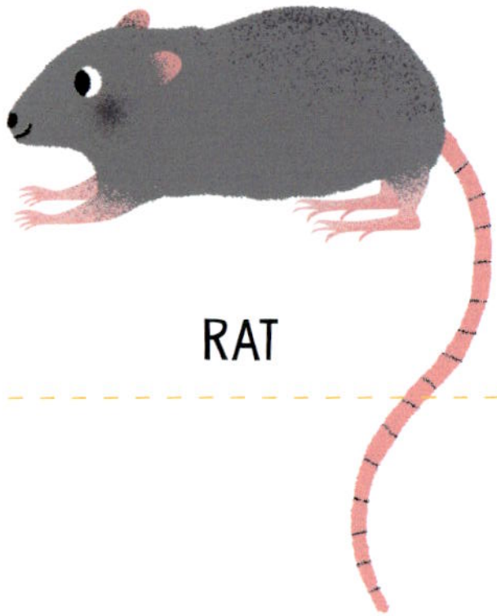

RAT

TRUITE

CHAUVE-SOURIS

LYNX

HÉRISSON

CASTOR

LE DU JEU : Le premier joueur pioche une carte crotte. Il doit trouver en moins ne minute l'animal qui l'a faite, sur le plateau. S'il y arrive, il peut en piocher e autre et continuer. S'il n'y parvient pas, il remet sa carte sous la pile et c'est joueur suivant de piocher. Lorsqu'il n'y a plus de cartes dans la pile, la partie terminée et le joueur qui a posé le plus de cartes a gagné.

petite salamandre 4-7 ans

petite salamandre
4-7 ans

LES P'TITS CRACRAS

PRÉPARATION : Découpe et mélange les cartes. Fais-en une pile, côté crotte. Utilise le sablier d'un autre jeu, ou un chronomètre.
NOMBRE DE JOUEURS : 2 ou plus.
BUT DU JEU : Le premier joueur qui a bien relié chaque crotte à son animal a gagné !

RÈ[…]
d'u[…]
une[…]
au[…]
est[…]

Il y a __ limaces qui montent.

Il y a __ limaces en tout !

BONUS **Entoure mon cousin qui bave aussi.**

QUI FOUILLE LES POUBELLES DE LA RUELLE ?

Au menu, ce soir : vieilles croûtes de fromage et fruits bientôt moisis. Venu des égouts, le client de ce restaurant a bon goût. C'est vrai que **LE RAT** est gourmand et intelligent. Il sait que nos poubelles se remplissent chaque jour de déchets variés, encore bons à grignoter. Ainsi nos restes ont une deuxième vie. Vive l'anti-gaspi !

MINI-JEUX DU RAT

MOTS CACHÉS

BARRE CE QUE JE MANGE DANS LA GRILLE.

F	R	U	I	T	S	V	E
A	V	U	R	M	G	I	J
P	O	E	U	F	S	A	F
A	P	M	O	S	L	N	A
I	R	S	W	E	I	D	S
N	L	É	G	U	M	E	S
R	P	S	U	H	C	U	A
G	R	A	I	N	E	S	T

LE BON MOT

TERMINE LA PHRASE.

Mes bébés sont les ratons / râteaux.

BARRER

LA SOURIS EST PLUS PETITE QUE NOUS. RAYE-LA.

LA BONNE OMBRE

ENTOURE-LA.

FILS EMMÊLÉS

MES DENTS DE DEVANT POUSSENT TOUTE MA VIE, JE SUIS UN..

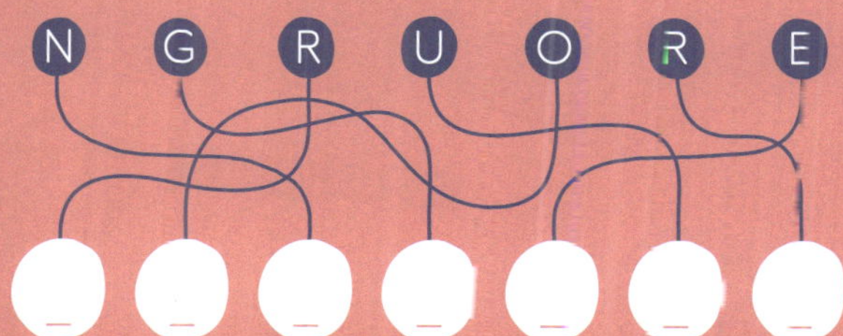

ACTIVITÉ

TA TARTINE AU FROMAGE

À FAIRE AVEC UN ADULTE

4 TRANCHES DE PAIN BIO • FROMAGE DE CHÈVRE • MIEL • THYM DU JARDIN

1

Dépose 2 rondelles de fromage sur chaque tranche de pain.

2

Ajoute un filet de miel sur chacune et parsème de thym.

3

Un adulte met les tartines au four, à 190 °C pendant 5 minutes.

L'ASTUCE DE SAM **Utilise du fromage de chèvre et du miel produits près de chez toi.**

TRIE TES DÉCHETS !

PAS FACILE… CERTAINS SE RECYCLENT ET D'AUTRES NON ! VOICI DES CONSEILS POUR T'AIDER.

1

Les restes de repas vont au compost.

2

Le verre est apporté au récup'verre.

L'ASTUCE DE SAM **Répare et réutilise tout ce que tu peux ! Et donne ce que tu ne veux plus au lieu de le jeter à la poubelle.**

QUI PREND DES BONS BAINS DE BOUE ?

Après une longue journée à chercher des glands et des vers dans la terre, il a bien besoin d'un bain. Pour se laver, **LE SANGLIER** plonge dans un trou rempli de gadoue : la souille. Quand la boue sèche sur ses poils, elle emprisonne les poux et les tiques. Puis le sanglier s'en débarrasse en se frottant aux arbres. Chic !

CAP OU PAS CAP ?

4 MINI-DÉFIS À RELEVER DANS LA FORÊT !

GLISSER DANS LA BOUE

Après la pluie, trouve une pente boueuse près de chez toi. Enfile des vieux habits et fais des glissades sur les fesses !

OBSERVER LES BELLES COULEURS

En automne, la forêt est de toutes les couleurs : marron, verte, rouge, orange, jaune... C'est le moment parfait pour s'y balader.

ENQUÊTER DANS LA FORÊT

Ouvre l'œil. Des empreintes près d'une flaque de boue ? De la boue séchée sur les troncs d'arbre ? C'est sûrement un sanglier.

SCULPTER LA GADOUE

Fabrique des bonshommes en terre mouillée et laisse-les sécher. C'est mieux que la pâte à modeler !

TON SAVON MAISON

À FAIRE AVEC UN ADULTE

VIEUX BOUTS DE SAVON • 2 C. À S. D'EAU • MOULES À GÂTEAUX • HUILE VÉGÉTALE BIO

1

Coupe tous les bouts de savon. Mets-les dans la casserole avec de l'eau.

2

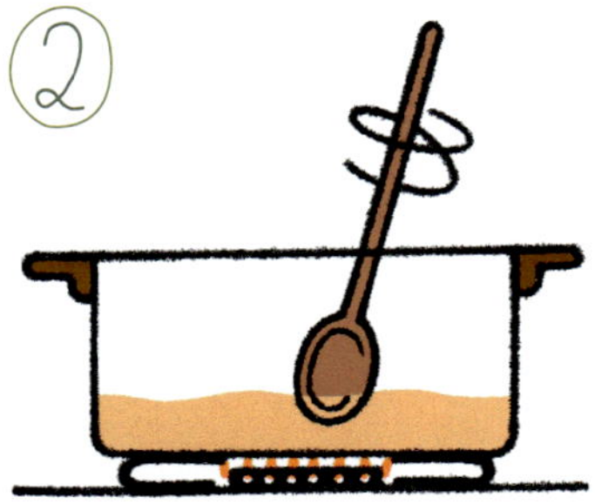

Un adulte les fait fondre à feu doux, en remuant.

3

Il verse le mélange dans les moules déjà huilés.

4

Laisse sécher tes savons pendant une journée et une nuit. Puis démoule-les !

L'ASTUCE DE SAM **Tu peux ajouter de la menthe, du thym ou du romarin avant de laisser refroidir la préparation.**

TA FORÊT DANS UN BOCAL

GRAND BOCAL EN VERRE • CAILLOUX • TERREAU • VAPORISATEUR D'EAU
PLANTES (FOUGÈRE, LIERRE...) ET MOUSSES RAMASSÉES EN FORÊT

1

Dépose des cailloux dans le fond du bocal.

2

Verse le terreau par-dessus.

3

Dispose les plantes.

4

Recouvre le terreau de morceaux de mousse.

5

Arrose avec le vaporisateur.

Place ton bocal à la lumière mais pas en plein soleil.

L'ASTUCE DE SAM **Touche la mousse de temps en temps. Si elle est sèche, arrose-la. Ta forêt tiendra plus longtemps.**

LA COMPAGNIE DES SANGLIERS

ENTOURE LES 15 DIFFÉRENCES ENTRE CES 2 IMAGES.

BONUS Nous, les sangliers, on vit en groupe : la compagnie !
Mes bébés sont les marcassins. J'en ai 5 : les vois-tu ?

LES BONS GESTES DES ANIMAUX

INSPIRE-TOI DE TES ANIMAUX PRÉFÉRÉS ET DE LEURS COMPORTEMENTS POUR PROFITER DE LA NATURE QUI T'ENTOURE !

DEVIENS ANTI-GASPI
COMME LE RAT

- - - - -

Pas obligé de manger les déchets mais tu peux éviter le gaspillage : utilise le dentifrice jusqu'au bout, cuisine les restes avec tes parents, donne une deuxième vie à tes habits…

SALIS-TOI
COMME LE SANGLIER

- - - - -

En automne, il pleut et la gadoue est partout ! Saute dans la boue, marche dans les feuilles mortes et cours sous la pluie. Quel plaisir de se salir !

SENS TOUTES LES ODEURS
COMME LE RENARD

Les yeux fermés dans le jardin
ou au parc, respire les odeurs
de la nature. Sauras-tu reconnaître
celle de la terre mouillée ?
Ou de l'herbe coupée ?

RESTE AU CHAUD
COMME LA PUNAISE

Punaise, araignée...
L'hiver, des p'tites bêtes se réfugient
dans ta maison. Et si on les laissait là
plutôt que de les chasser dans le froid ?
Tu peux même les observer chez toi.

ALBUM

DÈS 3 ANS

LE DÎNER DE MOUCHES

Quand une mouche invite une amie à dîner, c'est délicat et raffiné. On met les petits plats dans les grands et la conversation est animée. Asseyez-vous et régalez-vous de ce menu... décalé ! Un livre drôle et cracra.

BAYARD JEUNESSE, SEPTEMBRE 2021

DOCUMENTAIRE

DÈS 6 ANS

MYSTÈRE ET TOILES D'ARAIGNÉE

Les araignées ne sont pas toujours appréciées, elles peuvent même faire peur ! Et pourtant, on a beaucoup à apprendre de ces génies de la toile. Découvre dans ce super documentaire leurs talents incroyables !

ÉDITIONS DU RICOCHET, AVRIL 2021

LE BÛCHERON, L'ARBRE, L'ÉCUREUIL ET LE RENARD

Un bûcheron est en route pour couper quelques arbres dans la forêt. Mais c'est sans compter sur les caractères bien trempés de ceux qui y habitent ! Écureuil et Renard ne vont pas se laisser faire. Un album écolo rempli d'humour et de malice !

ACTES SUD JUNIOR, MARS 2021

ALBUM

DÈS 4 ANS

DOCUMENTAIRE

DÈS 4 ANS

LE JARDIN DE BASILIC
COMMENT LES ARBRES FONT-ILS CACA ?

Basilic passe la journée avec sa mamie dans le jardin. Soudain, il marche sur une crotte... de hérisson ! Mamie lui explique que tous les animaux font caca. Curieux, le petit garçon demande : « Et les arbres ? Est-ce qu'ils font caca, les arbres ? »

PÈRE CASTOR, FÉVRIER 2021

ALBUM

DÈS 5 ANS

UNE NUIT À INSECT'HÔTEL

La famille de scarabées Bouzman passe la nuit à Insect'Hôtel. Mais la petite Suzy n'a pas sommeil Curieuse, elle décide de partir à la découverte de l'hôtel. Étrange : elle croise plusieurs insectes qui la mettent en garde contre la menace qui hante les couloirs...

LES FOURMIS ROUGES, AVRIL 2021

ALBUM

DÈS 3 ANS

TOUS DIFFÉRENTS, TOUS IMPORTANTS !

Dans la famille lapin, ils se ressemblent tous. Vraiment ? Un joli récit pour comprendre et apprécier les différences. Car chacun a un rôle important à jouer dans l'histoire. .

LANGUE AU CHAT, JUIN 2021

petite salamandre 4-7 ans
Hors-série N° 05 | septembre 2021
Parution mars et septembre
Adresse Suisse
Petite Salamandre
Rue du Musée 4, 2000 Neuchâtel
Tél. : 032 710 08 25
info@petitesalamandre.org
Adresse France
Petite Salamandre
56, rue du Rocher, 75008 Paris
Tél. : 01 86 70 01 74
serviceclient@salamandre.org
Adresse Belgique et Luxembourg
Petite Salamandre / Forêt.Nature
Rue de la Plaine, 9
B-6900 Marche-en-Famenne
Tél. : 084 313 116
info@salamandrebelux.net

Directeur de la publication
Julien Perrot
Rédactrice en chef
Isabelle Desprez
Secrétaire de rédaction
Émilie Teixeira
Première rédactrice graphiste
Pauline Maury
Conseiller scientifique
Sébastien Poiret
Illustrations
Émilie Vanvolsem (mascotte)
Kaley McKean (couverture, devinettes)
Sarah Andreacchio (jeux, poster)
Arnaud Boutin (activités, surprises)
Ont collaboré à ce numéro
Marie-Pierre Visentin, Marie Chouteau,
Armelle Lassoureille Chatel

Directeur adjoint
Baptiste Pfeiffer
Promotion & partenariats
Vanessa Grémaux, Charlotte Grimm
Abonnements & administration
Mélanie Schafter Contini, Éric Holzer,
Mathieu Reber, Martine Moulin,
Silvia D'Angelo

Imprimeur
L'Imprimeur Simon (France)
ZI rue Noirichaud, 25290 Ornans
Petite Salamandre (encart compris)
est imprimée avec des encres sans
COV. Papier Symbol Freelife silk,
origine Italie, 50 % de fibres recyclées,
eutrophisation (P tot) 0,0046 kg/T.
Loi n° 49-956 du 16 juillet 1949 sur
les publications destinées à la jeunesse.

IMPRIM'VERT®

MIXTE
Papier issu de sources responsables
FSC® C041192

salamandre
Les Editions de la Salamandre Sàrl
Adresse Suisse
Rue du Musée 4, 2000 Neuchâtel
Adresse France
BP 75 - ZI rue Noirichaud, 25290 Ornans
Dépôt légal à parution
N° ISSN 2673-2343
N° CPPAP 0922 K 92835

SOLUTIONS DES JEUX

PAGE 5

LABYRINTHE

JUMEAUX

CODE

Coléoptère.

COMPTER

Non.

PAGE 9

LE BON ORDRE

COCHER

Le chien.

MÉLI-MÉLO

LE BON MOT

Carnivore.

PAGES 10-11

LA CAMPAGNE DES RENARDS

25 renards.

PAGE 13

CODE

Putois.

LA BONNE IMAGE

PAGE 14

MA FAMILLE PUNAISE

3 à rayures,
6 à motifs,
3 sans motif.

PAGES 18-19

L'AUTOMNE AU POTAGER

3 limaces la tête en bas. 7 limaces qui montent.
2 limaces léopards.
16 limaces en tout.
Bonus : l'escargot.

PAGE 21

MOTS CACHÉS

F	R	U	i	T	S	V	E
A	V	U	R	M	G	i	J
P	O	E	U	F	S	A	F
A	P	M	O	S	L	N	A
i	R	S	W	E	i	D	S
N	L	É	G	U	M	E	S
R	P	S	U	H	C	U	A
G	R	A	i	N	E	S	T

LE BON MOT

Ratons.

LA BONNE OMBRE

L'ombre 2.

BARRER

FILS EMMÊLÉS

Rongeur.

PAGES 28-29

LA COMPAGNIE DES SANGLIERS

C.H.BECK WISSEN

in der Beck'schen Reihe

Dieses Buch bietet einen kompakten Überblick über die Geschichte des römisch-deutschen Reiches von seinen Anfängen bis zum Beginn der Neuzeit. Es vermittelt neben den Grundzügen der politischen Geschichte auch zentrale Aspekte von Gesellschaft und Kultur. Damit werden Strukturen und Tendenzen verständlich gemacht, die die deutsche Geschichte bis zum Beginn der Moderne, ja teilweise bis in die jüngste Vergangenheit hinein geprägt haben.

Frank Rexroth lehrt als Professor für Mittlere und Neuere Geschichte an der Universität Göttingen. Seine wichtigsten Publikationen sind «Deutsche Universitätsstiftungen von Prag bis Köln» (1992) und «Das Milieu der Nacht. Obrigkeit und Randgruppen im spätmittelalterlichen London» (1999).

Frank Rexroth

DEUTSCHE GESCHICHTE IM MITTELALTER

Verlag C. H. Beck

Mit 2 Karten

Originalausgabe

Gesamtherstellung: Druckerei C. H. Beck, Nördlingen
Umschlagentwurf: Uwe Göbel, München
Printed in Germany
ISBN 3 406 48007 1

www.beck.de

Inhalt

I. Zur Einführung drei Fragen

1. Welches Mittelalter?

Spricht man vom «Mittelalter», dann meint man damit mehr als nur eine Epoche der europäischen Geschichte, die die Jahre von ca. 500 bis ca. 1500 christlicher Zeitrechnung umfaßt. Schon seit der zweiten Hälfte des 18. Jahrhunderts ist dieser Begriff aufgeladen mit einer ganzen Reihe von Vorstellungen und Wertungen und steuert – gemeinsam mit anderen Begriffen wie «Neuzeit», «Moderne» oder «Revolution» – die Versuche der Menschen, die historische Bedingtheit ihrer Existenz zu begreifen. Humanisten hatten ihn seit dem 14. Jahrhundert verwendet, wenn sie die kulturelle Blüte der Antike von der vermeintlichen Barbarei der vergangenen Jahrhunderte abheben wollten; sie sprachen dann von einem «mittleren Zeitalter» (*media aetas*, *medium aevum*). Als Epoche galt ihnen das Mittelalter dabei zunächst nur im Hinblick auf Sprache («Zeit minderwertiger Latinität»), bildende Kunst («Zeit mangelhaften Ausdrucksvermögens») und Wissenschaft («Epoche unfruchtbarer Scholastik»), nicht aber auf den Gang der Geschichte insgesamt. Diese verstanden sie in christlicher Tradition noch bis ca. 1700 als eine von Gott begründete Anordnung von Zeiten (Augustinus: *ordo temporum*), das heißt als Abfolge entweder von sechs Weltaltern oder von vier Weltreichen. Dabei war jedes Weltalter und jedes der Reiche definiert durch die Bedeutung, die ihm in der Heilsgeschichte zukam. Ein geschichtlicher Prozeß, der sich aus seinen innerweltlichen Bedingungen heraus hätte verstehen lassen, war auch für die Humanisten noch unvorstellbar.

Dies eben änderte sich im 18. Jahrhundert. Zunächst übertrug der Hallenser Professor Christoph Cellarius in einem schulmäßigen Kompendium (*Historia universalis,* 1704) die Dreiteilung der Geschichte in «Altertum», «Mittelalter» und «Neuzeit» schließlich doch von der Literatur- auf die Allgemeingeschichte. Wichtiger als dies war aber der Umstand, daß in den Jahren seit ca. 1760 die Zeitwahrnehmung der Menschen revolutioniert wurde: Man glaubte, einem immer rasanter werdenden Wandel der sozialen, wirtschaftlichen und politischen Verhältnisse ausgesetzt zu sein, die Veränderung des sozialen Lebens schien sich gleichsam exponential zu beschleunigen.

Menschen, die so viel Instabilität erleben, benötigen griffige Deutungsmuster, um sich ihrer Lebenswelt zu vergewissern. Zu einem besonders populären wurde das «Mittelalter»: eine scheinbar festgefügte Epoche der Vergangenheit, in der Menschen in soliden Verhältnissen lebten. So gesehen, gibt es das Mittelalter erst, seit sich Menschen der Moderne als Wesen verstehen, die durch eine profane Geschichtlichkeit bestimmt werden. Zweierlei Entwürfe vom Mittelalter entstanden auf diese Weise. Der eine, in der Tradition der Aufklärung, war von einer optimistischen Sicht auf die Gegenwart und die Chancen zur Verbesserung menschlicher Lebensverhältnisse getragen. Seine Vertreter stellten sich das Mittelalter als eine besonders «finstere» Epoche vor, geprägt durch religiösen Wahn und religiös verbrämte Antiintellektualität, durch lähmende Institutionen der «feudalen» Ordnung, durch kulturelle Barbarei und menschenverachtende Grausamkeit. Die Rede von den «finstern Tagen» (I. Iselin 1764), vom «eingeschränkten, düstern Pfaffenschauplatz des medii aevi» (J. W. v. Goethe 1772) wirkte traditionsstiftend bis zur Gegenwart. Wenn man heute besonders prägnant aussagen will, daß ethnische Konflikte, Folter oder religiöser Wahn die Standards der Moderne beleidigen, dann konstatiert man einen «Rückfall ins finstere Mittelalter».

Der zweite Entwurf ist nur scheinbar gegensätzlich zum ersten angelegt, denn auch er begreift das Mittelalter als historisches Gegenstück zur Moderne. Wo Menschen seit dem ausgehenden 18. Jahrhundert die rasante Weiterentwicklung sozialer Verhältnisse als Verlust erfuhren, stellte man sich dasselbe Mittelalter als vergangenen Ort harmonischer und übersichtlicher Lebensentwürfe vor. Die Geschichte der Neuzeit wurde so zur Verlustgeschichte, veranlaßt und beschleunigt durch die einheits-sprengenden Ursünden von Reformation und Revolution. Wie das «aufklärerische», so hat auch dieses «romantische» Mittelalterbild bis heute nachgewirkt: Immer wieder hat man geglaubt, mit seiner Hilfe die Vernunft-Fixiertheit oder die soziale Zersplitterung der Gegenwartskultur kritisieren zu müssen. In Deutschland bemühte man es in Krisenzeiten immer wieder, ja hoffte man auf den Anbruch eines «neuen Mittelalters».

Es ging also letztlich stets um die Moderne selbst, wenn das Mittelalter als Denkbild bemüht wurde. Daß beide Seiten eines «entzweiten» Mittelalters (O. G. Oexle), die «aufgeklärte» und die «romantische», einander nicht wirklich widersprechen, kommt schon darin zum Ausdruck, daß sie sich stets miteinander vereinen ließen. Die Mittelalter-Inszenierungen (Märkte, Spektakel, Spiele, virtuelle Welten) heutiger Unterhaltungskultur sind deshalb so populär, weil sie die Bilder von der finsteren und der verklärten Gegenwelt zugleich ansprechen, das heißt: zugleich Abscheu und Faszination hervorrufen wollen.

2. Inwiefern deutsch?

Ein «deutsches Volk», verstanden als eine durch gemeinsame Herkunft bestimmte Gemeinschaft aller Deutschen, hat es während des Mittelalters nicht gegeben, und strenggenommen machten die mittelalterlichen Reiche der Ottonen, Salier, Staufer etc. auch kein «deutsches Reich» aus. Das mag erstaunlich klingen, da doch beide Größen für die Geschichtsentwürfe seit dem späten 18. Jahrhundert eine hervorragende Rolle spielten. Wieder waren es die Humanisten, die die Grundlagen legten. Sie identifizierten die Deutschen mit den Germanen, auf die sie mit der Wiederentdeckung (1455) von Tacitus' Schrift «Germania» (98 n. Chr.) aufmerksam geworden waren, gaben damit der deutschen Geschichte eine Tiefendimension, die bis in die römische Kaiserzeit zurückreichte, und gelten damit heute als Schöpfer «der ersten Deutschtümelei unserer Geschichte» (K. F. Werner). Seit dem ausgehenden 18. Jahrhundert wurde diese Lesart der Germanengeschichte als deutscher Volksgeschichte forciert, wurde das Lob germanischer Lebensart in der Schrift des römischen Ethnographen und Gegenwartskritikers Tacitus zu einem Spiegel deutscher Tugenden schlechthin. «Durch eines Römers unsterbliche Schrift war ein Morgenroth in die Geschichte Deutschlands gestellt worden, um das uns andere Völker zu beneiden haben», verkündete Jacob Grimm (1835). Großzügig ließen sich durch diese Gleichsetzung Kontinuitäten konstruieren: Der Westgotenkönig Alarich habe 410 Rom «mit 30 000 deutschen Soldaten erobert» (H. Rückert), Generationen von Schülern lernten den Ostgoten Theoderich den Großen als den «deutschen» Dietrich von Bern und die wanderungszeitlichen Sagenkreise um Burgunder und Nibelungen als «ihr» Nationalepos kennen. Im frühen Mittelalter dann, im 9. oder 10. Jahrhundert, sei dieses Volk überdies in einem «deutschen Reich» geeint worden. Damit schien den mittelalterlichen Vorfahren jene Leistung geglückt zu sein, an der man sich in der Gegenwart des 19. Jahrhunderts mühevoll abarbeitete: Sie hatten ihrer Nation ein politisches Haus gegeben. Die Franken und Sachsen, die Bayern und Schwaben des frühen Mittelalters verstand man dabei in Anlehnung an Luthers Rede von den Zwölf Stämmen Israels als «deutsche Stämme», das heißt: als quasi-biologische Zweige eines größeren ethnischen Ganzen.

Gegen diese Sichtweise spricht einmal der Umstand, daß in den mittelalterlichen Schriftzeugnissen nur äußerst selten vom «deutschen Volk», ja von «den Deutschen» die Rede ist, daß hingegen Sachsen, Franken, Bayern und Schwaben als *regna* (Herrschaften, mhd. *rîche, lender*) bzw. als *gentes* und *patriae* (Völker), nicht aber als Untergliederungen eines deutschen Gesamtvolks bezeichnet wurden. Man hat mittlerweile gelernt, Ethnien wie Reiche nicht als objektiv gegebene bzw. überzeitlich existierende Größen zu betrachten, denen eine Existenz unabhängig vom Bewußtsein ihrer Angehörigen zukommt; vielmehr begreift man beide als Resultate menschlicher Urteilsbildungen (J. Ehlers). Die Frage konnte also fortan nicht mehr lauten: Seit wann gab es ein deutsches Volk?, sondern nur noch: In welchen historischen Prozessen prägte sich bei mittelalterlichen Menschen eine Identität als Deutsche aus?

Dies vorausgesetzt, hat man in der Forschung des 20. Jahrhunderts – inspiriert durch die sog. Ethnosoziologie – den ursächlichen Zusammenhang zwischen den Größen «Volk» und «Reich» schlicht umgedreht: Erschien früher eine Reichsgründung undenkbar, die nicht von einem bereits existierenden deutschen Volk herbeigeführt worden wäre, so ist man heute der Überzeugung, daß die Tatsache des gemeinsamen Beherrschtseins die wichtigste strukturelle Voraussetzung für die allmähliche Entstehung einer deutschen Identität gewesen ist. Das «Reich» ging dem «Volk» voran, nicht umgekehrt. Man hat folglich zuerst nach dem «Reich der Deutschen» zu fragen, bevor man nach deutscher Ethnizität Ausschau hält.

Wiederum ist dabei von den Denkhorizonten der Zeitgenossen auszugehen. Von einem «König der Deutschen» (*rex Teutonicorum*) ist fürs erste in Fremdbezeichnung, nämlich durch Papst Gregor VII. und seinen Umkreis, die Rede (1074 ff.). Die Bezeichnung zielt auf eine Deklassierung des Salierkönigs Heinrich IV. und soll diesem «die Rechte des imperialen Königs und künftigen Kaisers ... bestreiten und ihn als König der Deutschen auf eine Stufe mit dem König der Ungarn ... stellen» (E. Müller-Mertens). Sie bezog demnach ihre abwertende Qualität aus der Spannung zwischen Heinrichs universalem Herrschaftsanspruch und der von Gregor VII. zum Ausdruck gebrachten Tatsache, daß dieser in Wirklichkeit ja nur nördlich der Alpen etwas zu sagen habe, eben in einem «Reich der Deutschen», das nur eines neben vielen anderen europäischen Königreichen war. Nicht untypisch für den Umgang mit abschätzigen Fremdbezeichnungen dieser Art ist der Umstand, daß die Bezeichnung «deutsches Reich» (*regnum teutonicum*) bzw. «Reich der Deutschen» (*regnum Teutonicorum*) von den Betroffenen schlicht übernommen und damit ihrer pejorativen Bedeutung beraubt wurde. Erst als hierdurch der politische Verband benennbar geworden war, begannen allmählich dessen Eliten über die Grenzen der Teil-*regna* hinweg ein affektiv besetztes Bewußtsein von Zusammengehörigkeit zu entwickeln. Fortan konnte z. B. Walther von der Vogelweide sein Loblied singen: *Tiusche man sint wol gezogen, rehte als engel sind diu wîp getân*. Die Rede vom «deutschen Volk» blieb dabei dem gesamten Mittelalter weitgehend fremd, und statt von «Deutschland» sprach man im Plural von «deutschen Landen».

Über das gemeinsame Beherrschtwerden hinaus hätte, so die moderne Ethnosoziologie, die Entstehung einer ethnisch begründeten Identität ein weiteres integratives Moment vorausgesetzt: den Glauben an eine gemeinsam durchlebte Geschichte. Diese Leistung wäre vor allem durch die Genese von Herkunftsmythen und durch sinnstiftende Geschichtsschreibung erbracht worden. Ein solcher deutscher Nationalmythos entstand aber vor dem Ausgang des Mittelalters nicht, ja selbst diese späten Anläufe scheiterten. Die entscheidenden Phasen für die Schaffung einer «deutschen Nation» sollten erst die Jahre von ca. 1450 bis 1550 (im Zeichen von Türkenangst, Burgunderkriegen und unter dem prägenden Einfluß des Humanismus, s. S. 120 f.) sein, sodann die Zeit von ca. 1750 bis 1850 (während der man das deutsche Volk als Subjekt seiner eigenen Geschichte «entdeckte»).

Auch die Denkform «deutsches Reich» überformte das Denken und Handeln der politischen Akteure nicht deutlich. Als *Imperator Teutonicorum*, *Alamannorum* oder ähnlich wurden die Herrscher eher im Ausland bezeichnet, nicht von den ihren. Bedeutsamer blieb im Innern das Wissen um die Fortexistenz des *Imperium Romanum* als der letzten der vier Weltmonarchien, die als *Imperium Christianum* von den Römern an den Franken Karl den Großen und seine kaiserlichen Nachfolger gelangt sei. Seit 1157 nannten die Könige und Kaiser ihr Reich *Sacrum Imperium*, seit 1254 *Sacrum Romanum Imperium*. Erst im 15. und 16. Jahrhundert glaubte man eigens zum Ausdruck bringen zu müssen, daß in diesem *Heiligen Römischen Reich* der *deutschen Nation* eine Führungsrolle zukomme; zuvor hatte man diese «deutschen» Bezüge der Weltmonarchie stillschweigend vorausgesetzt. Die «deutschen Lande» blieben also stets nur ein Teil dieser mit heilsgeschichtlicher Bedeutung aufgeladenen Weltmonarchie; eine 1495 auf dem Wormser Reichstag erlassene Regimentsordnung umschreibt ihre Bewohner daher als *nation des Heiligen Reichs hie dishalb Gebirgs*.

3. Was ist der Gegenstand einer «Deutschen Geschichte im Mittelalter»?

Das Bewußtsein, in einem «Reich der Deutschen» zu leben, ja «Deutscher» zu sein, blieb bis zum Ende des Mittelalters nur für ein schmales (wenngleich tonangebendes) Bevölkerungssegment handlungsleitend. Wie heute, so war auch der Alltag vormoderner Zeitgenossen vom Nebeneinander mehrerer Identitäten bestimmt: Man war Angehöriger seiner Landgemeinde und Bürger seiner Stadt, Untertan seines Landesherrn sowie Glied einer beachtlichen Vielzahl sozialer Gruppen, die Lebensformen und Werthorizonte bestimmten. Insofern wird die Königs- und Adelsherrschaft nur ein roter Faden für die folgende Darstellung sein können, der in andere hineingewoben ist. Weder sie noch irgend eine andere Größe hat der okzidentalen Geschichte jemals eine einheitliche Gestalt verliehen.

Überhaupt kann «Einheit» keine Leitvorstellung für die (oft verkannte) bemerkenswerte Dynamik mittelalterlicher Kultur sein. Als fruchtbarer hat es sich erwiesen, die unaufhebbare *Spannung* zwischen einander widersprechenden Weltentwürfen handelnder Menschen zum Ausgangspunkt von Geschichtsschreibung zu machen. Das Spannungsverhältnis zwischen dem Großreichsanspruch des *Imperium Romanum* und dessen im Frühmittelalter begründeter dezentraler Struktur ist eine davon. Auch stand der identitätsstiftenden Wirkung, die von der Fürstenherrschaft im Reich und seinen Teilen ausging, eine bemerkenswerte menschliche Kreativität bei der Gestaltung kleiner, gleichsam «von unten» organisierter Lebenszusammenhänge in sozialen Gruppen gegenüber; Versuchen, ein friedliches Zusammenleben durch eine ständische (das heißt auf Ungleichheit beruhende) Ordnung zu verbürgen, wirkten andere entgegen, die auf der rationalen Vergesellschaftung prinzipiell Gleicher beruhten. Nicht als Modernisierungsgeschichte und auch nicht als Vorgeschichte zur Barbarei Hitlerdeutschlands läßt sich die deutsche Geschichte im Mittelalter schreiben, sondern nur als Bündel jeweils offener Prozesse, die ihre Dynamik aus der Gleichzeitigkeit unaufgehobener «dialogischer» Gegensätze erlangten (E. Morin).

Der eigentliche Gegenstand der folgenden Darstellung ist daher nicht die Prägung deutscher Geschichte durch politische Prozesse, sondern vielmehr die *Wechselwirkung* zwischen dem Politischen und den anderen Räumen menschlicher Kommunikation: dem Wirtschaften und der Religion, der Rechtspraxis und der institutionalisierten Wissenschaft. Auch wenn der Rahmen, innerhalb dessen sich dieser Austausch vollzieht, nicht angemessen als «deutscher Staat» und auch nicht als «deutsche Gesellschaft» bezeichnet werden kann, sind «Staat» und «Gesellschaft» doch wichtige Leitkategorien für die Interpretation historischer Prozesse: Es gab sie in den deutschen Landen nicht von vornherein, aber in einem langgestreckten Prozeß vom 11. bis zum 16. Jahrhundert sind sie schließlich entstanden. Staatlichkeit wurde allmählich zu einem Signum der politischen Ordnungen – zuerst in der Kultur der städtischen Kommunen, dann, nach deren Vorbild, allmählich in den Landesherrschaften.

Genauso wenig hat es sich als fruchtbar erwiesen, schon aus dem schlichten Sachverhalt menschlichen Beieinanderlebens die Folgerung abzuleiten, diese Menschen hätten eine «Gesellschaft» gebildet. Erst wo sie ihre Bedürfnisse durch eine funktionale Differenzierung von Tätigkeiten befriedigten und über einen zumindest rudimentären gemeinsamen, kulturell vermittelten Werthorizont verfügten, sollten wir von einer solchen sprechen. Freilich: Eine «deutsche Gesellschaft» im strengen Sinn sollte so nie entstehen, da sich wirtschaftlich-funktionale Differenzierungsprozesse dieser Art stets im europäischen Rahmen ereignet haben. Schon so gesehen wird deutsche Geschichte untrennbar in europäische Geschichte hineinverwoben bleiben, darf sie nur als Teil dieses größeren Ganzen gedacht werden.

Aus diesen Gründen kann die regionale Definition jenes mittelalterlichen Deutschland nur über die politische Größe «Reich» vorgenommen werden: Es geht im folgenden um die Gebiete, die man dem besagten römisch-deutschen Reich zurechnete. Das heißt, daß man sich auch dessen Ausdehnung als wandelbar vorstellen muß – wo zu einem gegebenen Zeitpunkt die (deutsche) Königsherrschaft endete, bis dorthin reichte dieser technischen Definition zufolge das «Reich der Deutschen».

Großzügiger hat man mit der zeitlichen Eingrenzung umzugehen: Auch wenn erst seit den 1070er Jahren von jenem «Reich der Deutschen» die Rede ist und auch wenn dieses die wichtigste Bezugsgröße für die Definition deutscher Geschichte zu sein hat, darf unsere Darstellung doch nicht erst mit jenem Zeitpunkt einsetzen. Es ist die allmähliche Auflösung des karolingischen Imperiums im 9. Jahrhundert, die die strukturellen Voraussetzungen für alles bisher Gesagte schafft. In einem strengen Sinn bietet das folgende Kapitel II daher nur die (freilich unverzichtbare) Vorgeschichte zu den Kapiteln III und IV. Daß die Germanen-Begeisterung der deutschen Humanisten das Ende unserer Darstellung bilden muß (und damit am Beginn einer «deutschen Geschichte» ganz neuer Qualität steht), ist schon hinreichend deutlich geworden.

II. Vom Karolingerreich zum Reich der Deutschen

1. Vom karolingischen zum ottonischen Kaisertum (800–962)

In einem jahrhundertelangen Prozeß sollten die «deutschen Lande» des hohen Mittelalters aus dem karolingischen Imperium hervorgehen. Unter Karl dem Großen (768–814) hatte dieses überdimensionierte Gebilde seine größte Ausdehnung erlangt. Es umfaßte ca. 1 Million Quadratkilometer (zum Vergleich: die Bundesrepublik Deutschland umfaßt 357000) und reichte im Osten entlang der Elbe und Saale bis nach Dalmatien, von der Nordsee bis nach Mittelitalien und im Westen (unter Umgehung der Bretagne) entlang der Atlantikküste bis zum Kamm der Pyrenäen. Jeder Versuch, seine Bewohnerzahl zu schätzen, ist müßig; allein eine das gesamte Frühmittelalter hindurch ansteigende demographische Tendenz scheint man ausmachen zu können.

Dieses Reich war das Resultat einer schon unter den Merowingern begonnenen rigiden Expansionspolitik und einer Herrschaftspraxis, die aus der Umverteilung von Kriegsbeute und Tribut sowie der Übertragung herrschaftlicher Institutionen in neu eroberte Gebiete gespeist wurde (T. Reuter). Die führenden Häupter der einverleibten Regionen wurden entweder beseitigt oder von den Herrschern in Dienst genommen; Zwangsumsiedlungen und Grenzveränderungen schnitten in die bestehenden Identitäten der Bewohner ein. Grafschaften führte man nach dem Muster der fränkischen Kernlande auch in den nichtfränkischen Gegenden ein, und ebenso verfuhr man mit der Bistumsorganisation, die, wie etwa im mühsam eroberten Sachsen (772–804), die neu entstandenen Diözesen den fränkischen Erzbischöfen unterstellte. Karl der Große hatte den unterworfenen *gentes* erlaubt, nach ihrem überlieferten Recht zu leben, aber er hatte zugleich dafür gesorgt, daß mißliebige indigene Einrichtungen zu existieren aufhörten – das heimische Recht wurde unter der Hand mit fränkischen Rechtsbräuchen angereichert. Auch wenn es zu Rückschlägen kommen mochte (841–43 Stellinga-Aufstand in Sachsen), waren diese Maßnahmen in all ihrer Rücksichtslosigkeit doch erfolgreich. Freilich war schon Karl der Große auf die Kooperation einer reichsweit agierenden Aristokratie angewiesen. Institutionen der Herrschaft wie Grafen und Königsboten (*missi dominici*) oder Kapitularien waren stets an die persönliche Herrschaft (*regnum*) des leiblichen Königs gebunden. Von transpersonaler Bedeutung war einzig die universale Kirche, deren Amtsträger und deren Versammlungen (Synoden) die Karolingerherrschaft ebenfalls massiv stützten: Seit Karl zu Weihnachten 800 in Rom zum Kaiser gekrönt worden war, galt er als der Beschützer der universalen Christenheit und Herr über ein *imperium*, in dessen Rahmen die Botschaft des Evangeliums in der Welt verbreitet werden sollte. Christliche Missionstätigkeit und die Durchsetzung weltlicher Herrschaft sollten eng aufeinander bezogen bleiben, was schon die missionierten Zeitgenossen deutlich erkannten, ja am eigenen Leib zu spüren bekamen.

Mit der Herrschaft von Karls Sohn Ludwig dem Frommen (814–840) kam diese Expansion zum Stillstand. Damit veränderte sich die Struktur des Reiches grundlegend. Ludwig suchte den Bestand der Karolingerherrschaft dadurch zu garantieren, daß er zwar jedem seiner Söhne ein eigenes *regnum* innerhalb des Gesamtreichs in Aussicht stellte, die «imperiale Gesamtverantwortung» (R. Schieffer) jedoch dem ältesten Sohn als Nachfolger in der Kaiserwürde vorbehielt (Ordinatio Imperii 817). Deren Autorität wurde von seinen Söhnen in erbitterten Auseinandersetzungen mit dem letztlich schwer gedemütigten Vater (830, 833) zerschlissen. Als Ludwig der Fromme gestorben war und nachdem die Söhne einander in einer verheerenden Schlacht (Fontenoy 841) dauerhaft geschwächt hatten, kam es mit dem Vertrag von Verdun (843) zu einer anderen Art von Teilung: Kaiser Lothar I. wurde seinen beiden Brüdern Karl II. (später «der Kahle») und Ludwig II. (seit dem 19. Jahrhundert irrig: «der Deutsche») nicht mehr tatsächlich übergeordnet. Karls Reich lag im Westen, dasjenige des Kaisers Lothar zog sich wie ein Korridor von Friesland im Norden bis nach Mittelitalien, die ostrheinischen Gebiete fielen an Ludwig.

Zunächst dachten die drei Herrscher das Frankenreich noch als eine Gesamtheit, erachteten sie ihre *regna* als Zuständigkeitsbereiche innerhalb eines größeren Ganzen. Doch schuf allein die Existenz weitgehend unabhängiger Herrschaften schon bald eine andere Wirklichkeit: Kaiser Lothar etwa teilte sein Mittelreich (*Francia media*) vor seinem Tod (855) wiederum unter seinen drei Söhnen auf. Den Nordteil von Friesland bis Burgund benannte man bald nach seinem neuen Herrscher Lothar II. «Lotharingien» (später «Lothringen»). Häufige Herrscherbegegnungen (817–911: ca. 100) trugen dazu bei, das Bewußtsein nicht von der Einheit, sondern im Gegenteil von der faktischen Geschiedenheit der neuen *regna* zu vertiefen. Aus den Reichs-Teilen wurden so im Laufe des 9. Jahrhunderts distinkte Teil-Reiche und letztlich, im 10. und 11. Jahrhundert, gänzlich voneinander geschiedene Herrschaften. Dem Mittelreich war keine solche Zukunft beschieden, es wurde zum Gegenstand der herrscherlichen Ambitionen in Ost und West, wurde in Nord-Süd-Richtung aufgeteilt, wobei im Vertrag von Ribémont (880) die deutsch-französische Grenze späterer Jahrhunderte vorweggenommen werden sollte.

Die Restitution der Gesamtherrschaft unter dem glücklosen Karl III. («dem Dicken») bestätigte eher den neu erreichten Partikularismus, als daß sie ihn beseitigt hätte – nachdem sie Karl vertrieben hatten, erhoben die Magnaten in den Regionen Europas in großer Zahl Kleinkönige aus ihren Reihen. Das Charisma, das den Angehörigen der Karolingersippe zugeschrieben worden war, verflüchtigte sich zusehends. Erheblich belastet waren die Bewohner der Reichsteile schon seit den 830er Jahren durch die Invasionen skandinavischer Kriegerverbände, die man pauschal als «Normannen» oder «Dänen» bezeichnete. Diese plünderten nicht nur die Küstenlandschaften, sondern stießen mit ihren wendigen Booten auch weit ins Landesinnere vor. Nicht nur die Könige, auch der Reichsadel versagte bei der Aufgabe, die Bevölkerung militärisch zu schützen, reklamierte aber zugleich das Gewaltmonopol für sich selbst. Der östliche Reichsteil blieb noch am ehesten von diesen Überfällen verschont, wenngleich die Normannen schon 845 Hamburg angriffen und der dortige Erzbischof Ansgar zur Flucht genötigt wurde. Erst König Arnulf konnte sie 892 in einer der letzten großen Normannenschlachten aus dem Ostreich vertreiben.

Parallel zum Prozeß der Desintegration im Gesamtreich verlief eine Tendenz zur Integration im östlichen Teilreich (*regnum transrhenense*). Kulturräumlich und politisch-administrativ war es vom romanisch geprägten Westen gänzlich verschieden. Städte spielten in ihm fast gar keine Rolle, Bischofssitze und bedeutende Klöster waren vergleichsweise spärlich gesät, das Königsgut blieb auf das von den Herrschern bevorzugte Regensburg und den Rhein-Main-Raum konzentriert. Die ausgedehnten Wald- und Sumpflandschaften (Heliand: *waldes hlêo*, «Grab des Waldes») und die Seltenheit von Fernwegen begrenzten die Kommunikation. Das Handeln der Magnaten wurde von keinem Zusammengehörigkeitsgefühl geleitet, denn nur die Gebiete, aus denen das Ostreich zusammengesetzt war (Bayern, Franken, Sachsen, Thüringen, Alemannien), galten der Führungsschicht ihrer Bewohner als ihre *patriae*. Die allmähliche Integration dieses zunächst künstlich anmutenden Gebildes wurde befördert durch die lange Herrschaftszeit seines ersten Königs Ludwig II. (817/840–876) sowie durch dessen Entscheidung, seine Söhne nicht als Mit- oder Unterkönige, sondern lediglich als Herrscher zweiter Ordnung (*principes*) an der Macht teilhaben zu lassen. Karls des Großen Förderung der fränkischen Sprache, die Ludwig der Fromme unterbunden hatte, nahm er wieder auf. Dies bedeutete allerdings nicht, daß sich Ludwig II. visionär als gleichsam erster Deutscher auf seinen rechtsrheinischen Besitz beschränkt hätte: Sobald er in den Reichen seiner Brüder Krisen ausmachte, versuchte er, auch dort Fuß zu fassen – für das Mittelreich mit gutem Erfolg. Seinem Sohn Ludwig «dem Jüngeren» (876–882) gelang es, die bedeutendsten (und durchaus miteinander rivalisierenden) Geschlechter der einzelnen *patriae* an sich zu binden. Vor allem heiratete er Liutgard, eine Tochter des sächsischen Grafen Liudolf, des Urvaters der späteren Ottonen-Dynastie.

Die ostfränkischen Könige waren im Vergleich mit ihren Rivalen im Westen auch dadurch im Vorteil, daß die weiche Ostgrenze ihres Reichs noch am ehesten die Fortsetzung der karolingischen Tribute- und Beuteökonomie ermöglichte. Gerade die Süd- und Westslaven wurden drangsaliert und ausgeplündert; seit dem 10. Jahrhundert sollte das Wort *sclavus* (ursprünglich: «Slave») zur Bezeichnung für Menschen im Besitz anderer Menschen und Institutionen werden (jetzt: «Sklave»). Nach dem glücklosen Ende des letzten ostfränkischen Karolingers Ludwig «des Kindes» (900–911) und unter dem Eindruck der Ungarneinfälle zogen die Großen die Herrschaft eines (immerhin noch fränkischen) Nicht-Karolingers, Konrads I. (911–918), einer Vereinigung mit dem karolingisch beherrschten Westen vor. Als sich Konrad anschickte, in zunehmendem Maß autokratisch wie ein Karolinger zu herrschen, wuchsen seine Schwierigkeiten mit den Magnaten der im Ostreich zusammengefaßten *regna*, vor allem mit der Gruppe der Herzöge. Als Ersten unter Gleichen hätte man ihn akzeptiert, nicht aber als Monarchen karolingischen Stils (H.-W. Goetz), und so wurden mehr und mehr Regionen der Königsherrschaft entfremdet. Das Ostreich sollte eine Zukunft auf föderaler Basis besitzen – oder aber gar keine. Als Konrad starb, war die Situation gänzlich unklar.

Sein Nachfolger Heinrich I. aus dem sächsischen Haus der Liudolfinger (das heißt der Ottonen) sollte nicht einmal mehr Franke sein, geschweige denn Karolinger – und dies in einer politischen Kultur, deren gesamte Vorstellungen von Königsherrschaft und ihrer Institutionalität karolingisch geprägt waren! Daher bedeutete der Übergang der Königsherrschaft an die sächsischen Ottonen eher ein Abbrechen denn einen Neuanfang für die Genese einer «deutschen» Identität. Die Sachsen, die durch den neuen König an Bedeutung gewannen, standen der fränkischen Kultur eher fern, die Königsherrschaft mußte neu fundiert werden. Es entbehrt nicht einer gewissen Ironie, daß die Geschichtsschreibung der Vergangenheit gerade in jener Zäsur von 918/19 einen Schlußstein beim Bau der deutschen Geschichte gesehen hat. In Wirklichkeit war die Zukunft der rechtsrheinischen Gebiete zu jenem Zeitpunkt völlig offen.

So ist es auch wahrscheinlich, daß das *regnum orientalium Francorum* mit dem Tod Konrads I. tatsächlich vorübergehend in sich zusammenfiel (J. Fried). Heinrich I. band jedoch mit einer Mischung aus Entschlossenheit und Konzilianz die *regna* der Sachsen und Franken, schließlich auch der Alemannen und Bayern erneut aneinander. 925 gelang es ihm sogar, das schwer zu beherrschende, aber wegen seines Reichtums höchst attraktive Lothringen als Herzogtum dem Osten anzugliedern. Diese Praxis des Wiedereinsammelns und der Konsolidierung nahm Jahre in Anspruch und forderte ihren Preis. Insofern Heinrich über die Magnaten herrschte, tat er dies wohl auf der Grundlage rechtlich relevanter Freundschaftsbindungen (*amicitiae;* G. Althoff). Dennoch wirkte er auf den dauerhaften und ungeteilten Verbleib der Herrschaft bei seiner Familie hin. Nicht zuletzt, daß ihn der westfränkische König, immerhin ein Karolinger, bei einem Treffen mitten auf dem Rhein bei Bonn (921) anerkannte, verlieh der Ottonenherrschaft eine Zukunft. Letztlich gelang Heinrich 933 an der Unstrut ein Sieg über die gefürchteten Ungarn, der im ganzen Reich gefeiert wurde; vorbei die Zeiten, in denen man in Alemannien Schadenfreude über ein Fiasko der Bayern bei der Ungarnabwehr empfand! Es sollte, ähnlich wie bei den Nachbarn in Polen oder Böhmen, künftig gerade der Kult von Kriegerheiligen sein, der vereinte.

Zeichneten sich schon in Heinrichs letzten Jahren Tendenzen zur Steigerung der königlichen Macht ab, so wurden diese unter seinem Sohn Otto I. (936–973) noch erheblich verstärkt. Da er im Unterschied zu seinem Vater wahrscheinlich gesalbt worden war, erschien sein Königtum von Anfang an besser legitimiert als dasjenige Heinrichs I. Überdies wirkte es karolingischer: Als Krönungsort hatte man mit Bedacht Aachen gewählt, die Salbung gemahnte an karolingische Praxis, Ottos Festtracht war fränkisch, was eine folgenreiche Tradition stiftete – alle seine Nachfolger sollten, wo sie auch geboren waren, nach fränkischem Recht leben. Und doch: Die Herrschaft Ottos I. wurde fast 20 Jahre lang in mehreren Schüben massiv angefochten – und zwar gerade zu Hause in Sachsen, wo der Stolz auf das neue, «sächsische» Königtum gedämpft wurde durch die Beobachtung, daß die Herrschaft der Ottonen in deren Vielvölkerreich nur als eine «fränkische» akzeptiert wurde. Auseinandersetzungen um adlige Ehre gerade innerhalb des eng versippten sächsischen Adels wurden dem König leicht gefährlich, vor allem wenn Angehörige des eigenen Hauses auf der Seite der Rebellen standen. Der König wurde in Sachsen schnell in Generationenkriege «um Erbschaften und Erwartungen» (K. Leyser) hineingerissen. Doch die Aufstände machten an den Grenzen Sachsens nicht Halt; es entstanden weitreichende politische Allianzen, die Ottos Königtum mehrmals massiv gefährdeten und zugleich weit über dessen Lebenszeit hinaus wirkten. Die Integrierbarkeit adliger Ambitionen in die Königsherrschaft stieß an ihre Grenzen.

So wurde die Politik des königlichen Ausgleichs mit den Großen fortan kontrapunktisch begleitet von einer scheinbar gegenläufigen Tendenz: der in christlich-antiker und zugleich karolingischer Tradition stehenden monarchischen Selbststilisierung der Könige. Dem entsprach eine neue Nähe von Königtum und Kirche: Um sich von den weltlichen Magnaten zu emanzipieren, dehnte Otto I. seinen königlichen Schutz gezielt auf die adligen Klosterstiftungen aus und schuf sich damit loyale Bastionen auch in den bislang königsfernen Gebieten. An der königlichen Hofkapelle zog man begabte Männer heran, die, anschließend ausgestattet mit Bistum oder Abtei, eine königstreue Funktionselite bilden sollten. Die besondere Nähe der ottonischen und frühsalischen Herrscher zur Reichskirche sollte ganz erheblich zum Aufstieg des ostfränkischen Reiches zur europäischen Großmacht beitragen, wie er in den 940er Jahren schon zu bemerken war. Doch sollte dieses Reich im sogenannten Investiturstreit aus demselben Grund auch stärker erschüttert werden als die europäischen Nachbarn.

Auch der Umgang mit den Herzogtümern wurde im Verlauf der Aufstände gegen Otto I. verändert. Ein Herzogtum Franken sollte es nicht mehr geben. Auch Sachsen wurde nicht mehr als eigenständiges Herzogtum, sondern als Königsland gehandhabt; in Sachsen *dux* zu sein, hieß fortan nur noch, ein vom König verliehenes militärisches Amt innezuhaben. In Bayern, Schwaben und Lothringen machte Otto entweder Mitglieder seiner Familie zu Herzögen, oder er band die *duces* durch Heirat in seine Familie ein. Vor allem aber gewann Ottos Herrschaft an Bedeutung, als ihm 955 auf dem Lechfeld ein noch glänzenderer Sieg über die Ungarn gelang als seinem Vater: Niemals sei *apud nostrates* («bei den Unseren») ein solcher Sieg gesehen oder auch nur erhört worden, jubelte ein Berichterstatter.

Die Christenheit vor den Heiden zu schützen und das Christentum zu diesen zu bringen, das war die Aufgabe, die man christlichen Herrschern abverlangte. Otto faßte den Plan, Magdeburg zum Zentrum einer der Mission gewidmeten Kirchenprovinz zu machen – ein politisch heikles Projekt, das erst 968 realisiert werden konnte. Interesse an einer politischen Intervention in Italien hatte er schon zuvor gefunden, als er 951 um die Hand der italienischen Königin-Witwe Adelheid geworben und damit die Verbindung des ottonischen Königtums mit dem italienischen eingeleitet hatte. Damit war die Option für ein auf römischer Grundlage beruhendes Kaisertum erfolgversprechend geworden: Am 2. Februar 962 wurden Otto und Adelheid von Papst Johannes XII. zu Kaiser und Kaiserin gesalbt und gekrönt. Das Kaisertum, das seit den 850er Jahren zu einer rein regionalen Institution Italiens geworden war und das während der vergangenen 40 Jahre gar nicht existiert hatte, wurde nun weitergeführt. Die italienische Dimension, die einer der Grundzüge mittelalterlicher «deutscher» Politik werden sollte, war damit begründet.

Ungarnsieg und Kaisertum bedeuteten viel für die Identitätsstiftung nördlich der Alpen, waren sie doch für die allmähliche Verschmelzung der Franken, Sachsen, Bayern, Thüringer, Schwaben und «Lothringer» von hervorragender Bedeutung. Mit dem Kaisertum erlangte die Herrschaft der Ottonen zugleich eine historische Tiefendimension (Rekurs auf Karls des Großen Kaisertum) und einen eschatologischen Sinn (das letzte der Weltreiche, in dem das Evangelium unter den Völkern verbreitet wird). Freilich: eine transpersonale Vorstellung vom Reich, also eine Vorstellung, die der konkreten, lebenden Herrscherperson nicht bedurft hätte, sollte 962 immer noch nicht gefaßt werden können. Doch in der Person des Kaisers in der

Nachfolge Karls des Großen stand ein Kristallisationskern für eine künftige kollektive Identität von höherer Belastbarkeit zur Verfügung. Viel änderte sich mit Lechfeldschlacht und Romzug gegenüber den Tagen Heinrichs I. mit all ihrem Separatismus und dem herrscherlichen Unvermögen, die süddeutschen Herzogtümer auch nur zu betreten. So ist es auch kein Zufall, daß sich die Elite des Reichs jetzt eine eigene, verbindende Vergangenheit schuf: Lechfeldschlacht und Kaisertum fallen nicht zufällig zeitlich zusammen mit dem Beginn der ottonischen Geschichtsschreibung. Künftig sollte man auf Pergament nachlesen können, daß die *gentes* östlich des Rheins unter der Führung einer von Gott erwählten Dynastie eine eigene Geschichte durchlebten.

2. Sozialmodelle (I): Stände, «Familien» und Gilden

Parallel zu dem Prozeß, der die Menschen östlich des Rheins und nördlich der Alpen allmählich zu Deutschen machte, verlief ein weiterer, an dessen Ausgang die Existenz einer europäischen Gesellschaft stand. In der Karolingerzeit gab es diese noch nicht, weil der Differenzierungsgrad der Tätigkeiten und der funktionalen Bezüge zwischen den Menschen noch äußerst gering war. Fast jedermann betrieb Landwirtschaft, um das Überleben der Seinen zu sichern; die Vernetzung einander zuarbeitender Tätigkeitsfelder (Landwirtschaft, Handwerk, Handel, Kriegertum) war nur geringfügig ausgeprägt. Doch zeichneten sich schon bis zur Jahrtausendwende wichtige Entwicklungen ab. Diese wurden von den Zeitgenossen beobachtet und reflektiert, und so ist es sinnvoll, die Wandlungsphänomene zunächst in den zeitgenössischen Selbstreflexionen zu suchen.

Gehen moderne Ordnungsmodelle zumeist von der rechtlichen und politischen Gleichheit aller Menschen aus, so wurzeln vormoderne Reflexionen über das Geordnetsein des sozialen Ganzen meist in Vorstellungen von einer fundamentalen Ungleichheit der Menschen. Ansichten darüber, wie die Vielheit und Verschiedenheit dessen, was ist, von Gott zu einem harmonischen Ganzen gefügt ist, machen christlich-antikes und mittelalterliches Ständedenken aus. Wo man sie in ein Bild kleiden wollte, bediente man sich häufig der Körpermetapher: Kopf, Magen, Hände, Füße etc. seien grundverschieden, aber nur im Zusammenwirken bildeten sie das funktionstüchtige Ganze, den Körper. Mittelalterliche Standereflexionen waren stets von metaphysischem Rang, die Ungleichheit von Menschen bemaß sich an den Verdiensten, die sich ein Stand vor Gott erwarb.

Vorstellungen von einem ständisch strukturierten Ganzen vermittelte während des frühen Mittelalters zunächst die zeitgenössische Kirche. In ihrem Rahmen hatte man bereits seit apostolischer Zeit die Lebensformen der Kleriker und der Laien voneinander geschieden, das heißt derer, die in den Gemeinden mit einem Amt betraut waren, und des übrigen christlichen Volkes. Kleriker hatten ihr Leben Gott geweiht, hielten sich daher fern von Ehe, Handel und Besitz. Laien standen, gemessen an ihren Verdiensten vor Gott, unter ihnen. Seit der Spätantike gab es daneben noch eine dritte Kategorie: das Mönchtum. Dieses nahm sich (in seiner westkirchlichen, «lateinischen» Ausprägung) als eine Bewegung von Laien aus, deren Teilhaber sich in gemeinsamem Leben (*vita communis*) und Besitzgemeinschaft dem Gebet widmeten. Doch gerade aus der Sicht der Laien und vor allem in der Karolingerzeit glichen sich Kleriker und Mönche aneinander an. Erstere traten Klosterkonventen bei oder imitierten in dauerhaften Klerikergemeinschaften die monastische Lebensform, letztere ließen sich zu Priestern ordinieren. Obrigkeitliche Interventionen vor allem unter Ludwig dem Frommen sollten klare Verhältnisse schaffen, doch weiterhin übte die Lebensform «Mönchtum» eine solche Faszination auf Kleriker wie Laien aus, daß sie erhebliche schöpferische Energien bei der Gestaltung auch klerikaler und laikaler Gruppenkultur freisetzte. Bevor man sich eine Vorstellung davon machen konnte, was ein weltlicher «Stand» sein mochte, erfuhr man anhand des Klerus und der Mönche: Es gab innerhalb der *ecclesia* vor Gott verschiedene und nach ihren Verdiensten abgestufte Lebensformen, denen eine jeweils eigene Ehre und damit eine spezifische soziale Schätzung zukam. Damit war auch der Interpretation der Laienwelt ein Muster vorgegeben.

Charakteristisch für das frühe Mittelalter war es, die Verschiedenheit innerhalb dieser Laienwelt in antinomischen Begriffspaaren einzufangen, die christlich-antikem Denken entstammten: Menschen seien frei oder unfrei bzw. arm oder mächtig (erst später: arm oder reich). Freiheit und Unfreiheit waren vage Kategorien. Sie schlossen einander nicht aus, sondern durchdrangen sich. Zwischen ihnen lag eine ganze Skala von Abstufungen. Nur der Vollfreie waltete eigenverantwortlich über sein Gut, genoß Freizügigkeit und mußte nicht um Erlaubnis fragen, wenn er heiraten wollte. Über ihm stand der durch seine Herkunft und Machtmittel besonders geschätzte Adlige, unter ihm standen der Minderfreie, dessen Status durch Elemente der Abhängigkeit bestimmt wurde, und der Freigelassene, der zumindest noch für eine Generation nach schlechterem Recht lebte. Erst auf diesen folgte der Knecht bzw. Hörige; er war wiederum besser gestellt als der Sklave. Im Unterschied zum Sklaven galt der Hörige vor dem Recht als Person, war vermögens- und eingeschränkt geschäftsfähig. Er wirtschaftete zumindest zu Teilen in Eigenverantwortung. Wurde er verkauft, dann in der Regel mit dem Land, das er bebaute; das bedeutet, daß er zwar einen anderen Herrn bekam, daß seine Lebenswelt aber nicht zerbrach. Gar nicht in dieses Spektrum einzubinden waren die religiösen Sondergemeinden der Juden, die es seit dem ausgehenden 9. Jahrhundert gab (Metz 888, am wichtigsten seit dem 10. Jahrhundert: Mainz).

Wie frei oder unfrei jemand war, sagte nichts über seine wirtschaftliche Situation aus. Gerade auf eigenem Land wirtschaftende Freie, deren es in der Karolingerzeit viele gab, sahen sich in Krisenzeiten veranlaßt, den Schutz eines Mächtigen aufzusuchen und dafür Minderungen ihres Status in Kauf zu nehmen. Der Einzelbesitz der Freien geriet so in den Sog der Großherrschaften in der Umgebung. Umgekehrt konnten sich Unfreie im Herrendienst (etwa als Meier, die im Auftrag des Grundherrn Naturalabgaben einzogen) besser stellen als mancher Freie. Auch die direkte Nachbarschaft von Freien, Halbfreien und Knechten (etwa auf den Grundherrschaften) führte zu einer allmählichen Verschleifung und Nivellierung dieser Kategorien.

Nicht welches Maß an Freiheit jemandem zukam, sondern welche materiellen Mittel er in den Austausch mit anderen einbringen konnte, entschied über Prestige und soziales Kapital. Um dieses zu benennen, sprach man im frühen Mittelalter oft vom Gegensatz zwischen den Mächtigen (*potentes*) und den Armen (*pauperes*). Als arm galt, wer keine Macht über andere ausübte, dagegen selbst dem Zugriff anderer ausgeliefert war. Bezeichnenderweise wurde der *pauper* gerade in der Karolingerzeit bisweilen mit dem Freien regelrecht gleichgesetzt – dessen Ressourcen waren in Krisenzeiten (Hungersnöte, Kriege) schnell aufgebraucht, daher suchte er die Nähe eines Mächtigeren.

Die erhebliche soziale Mobilität des 9. bis 11. Jahrhunderts kannte Auf- und Absteiger. Der schwere Pflug, für dessen Herstellung teure und seltene Eisenteile erforderlich waren, gab wenigen eine Chance zu intensiverem Wirtschaften, doch «für die allermeisten Menschen hatte die Eisenzeit noch nicht begonnen» (H. Fichtenau). Die neue Technik der Dreifelderwirtschaft ermöglichte höhere Ertragsquoten – doch diese wurden zunichte gemacht, wenn der Freie zum Kriegszug verpflichtet wurde und damit die Zeit für den anspruchsvolleren Landbau verlor. Kriege, die im Kern in der Vernichtung der gegnerischen Ressourcen bestanden, zerstörten nicht nur Leben, sondern auch wirtschaftliche Existenzen; anderen boten sie Chancen für neuen Dienst, Wegzug, Abstreifen der Hörigkeit, kurz: umfassende rechtlich-wirtschaftliche Besserstellung. Daher beurteilte man Menschen im Laufe des 10. und 11. Jahrhunderts immer weniger nach dem Maß ihrer Freiheit, sondern danach, was sie taten. Die Bezeichnung «Bauer» gewann nun an Bedeutung, denn sie verschwieg den Rechtsstatus des Bezeichneten und verwies zugleich darauf, daß es neben Ackerbau und Viehzucht mittlerweile andere Daseinsformen gab, vor allem den «Krieger» (*miles*). So entstand ein Bauernstand, bestehend aus Freien und Unfreien und ausgestattet mit einer eigenen Ehre, jedoch ohne das Recht, Waffen zu führen (Kap. III.3).

Es gab freilich fundamentale Formen der Vergemeinschaftung, die nicht in die ständische Erfassung der Welt integriert werden konnten. Weitverzweigte kognatische Verwandtengruppen strukturierten die Bewohnerschaft in Siedlungen und Regionen. Geeint wurden sie durch gemeinsamen Besitz und eine Verpflichtung zur Loyalität, die sich vor allem in der Fehde bewähren mußte. Der Verwandtschaftsverband diente den Menschen zugleich als ein Modell, wenn es darum ging, andere und weniger fundamentale Gruppen zu verstehen und zu bezeichnen. So meint etwa der Quellenbegriff *familia* nicht die Verwandtenfamilie in unserem Sinn, sondern die Gemeinschaft der in einem Haushalt lebenden Menschen. Ihr gehörte neben den Verwandten auch das gesamte Dienstpersonal an, das der Gebotsgewalt des Herrn unterstand. Ihr Zentrum war der Vater als Patriarch. «Familie» als soziales Deutungsschema stand daher für eine hierarchisch organisierte Gruppe, schlechthin für Herrschaft.

An die Seite dieser durch Verwandtschaft bzw. unmittelbare Abhängigkeit zustandegekommenen Gruppen traten andere, die ihre Existenz dem freien Willen ihrer Angehörigen verdankten und in deren Rahmen daher andere Lebensformen und mithin eine andere Mentalität entstanden. Im Vergleich mit nichtchristlichen Kulturen sollten sie im lateinischen Europa eine besonders große Rolle spielen, denn das Christentum erwies sich als ausgesprochen gruppenfreundliche Religion. Die Verwandtenfamilie galt ihm nicht als Kultverband, so daß «Gemeinden» und freie Einungen in ihr eine führende Rolle spielen konnten. Auch im Vergleich mit dem griechischen Osten Europas sollten die Einungen ein Spezifikum okzidentaler Kultur bilden, hatte doch der Niedergang der römisch-antiken Staatlichkeit im Westen solcherlei Assoziation von Menschen befördert; die Einungen waren Selbsthilfemaßnahmen in Zeiten politisch-sozialer Desorganisation. Auch wo sie hierarchisch bestimmt waren wie in vasallitischen Gruppen und Gefolgschaften, beruhten sie doch auf der quasi-vertraglichen Abmachung beider Parteien und nicht einseitig auf dem Gebot des Mächtigen. Das zugrundeliegende Prinzip war die Reziprozität, das heißt die Gegenseitigkeit von Rechten und Pflichten. Vasallität, wie sie während der Karolingerzeit entstanden war, sollte im hohen Mittelalter zu einem Modell für den hierarchischen Aufbau ganzer Staaten werden.

Von Bedeutung waren auch die sogenannten Gilden: geschworene Einungen prinzipiell gleicher Menschen, die ebenfalls in karolingischer Zeit erstmals nachweisbar sind. Auch sie hatten «den letzten Grund ihres Verbundenseins im freien Willen der Verbundenen» (O. Gierke), beruhten mithin auf Konsens und wurden überdies «geschworen», das heißt durch Eid begründet. In ihren Zielen waren sie umfassend, sie erstreckten sich auf alle Seiten des Lebens und wurden in ihrem Inneren von einer selbstgeschaffenen, «gewillkürten» Ordnung ausgefüllt. In den Regionen östlich des Rheins sind sie später nachweisbar als im Westen, wo man sich schon im 9. Jahrhundert mit ihrer Hilfe zur Normannenabwehr zusammenschloß. Wahrscheinlich ist es auch die Abwehr der Ungarn, bei der sie uns im 10. Jahrhundert im Reich der Ottonen begegnen. Die Gilden sollten ihre außerordentliche sozialgeschichtliche Bedeutung im römisch-deutschen Reich erst allmählich entfalten; sie stellten den Prototyp für die städtischen Kommunen und Landgemeinden des hohen und späten Mittelalters dar. Abermals erweisen sich mit ihnen soziale Phänomene der Karolingerzeit als prägend für die weitere Entwicklung. Sie vereinigten nicht nur Männer und Frauen, sondern auch Freie und Unfreie bzw. Laien und Kleriker. Damit standen sie regelrecht quer zu den Möglichkeiten, die Welt «ständisch» zu erfassen. Die niemals aufgehobene Konkurrenz ständischer und vertraglicher Ordnungsmodelle sollte eine jener «Dialogiken» (s. S. 13) sein, die der deutschen Geschichte ihre innere Dynamik verliehen.

3. Spätere Ottonen- und frühe Salierzeit (962–ca. 1075)

Kurz vor seinem Tod 973 empfing Otto I. Gesandte der Dänen, Polen, Böhmen, Russen, Ungarn, Bulgaren, Griechen, Beneventaner und Römer – deutliches Indiz dafür, daß der Hegemonieanspruch des neuen *imperator* Beachtung fand. Sein Verhältnis zu den Nachbarregionen im Osten war schon dadurch verändert worden, daß 968 eines seiner umkämpften Lieblingsprojekte durchgesetzt werden konnte: die Erhebung Magdeburgs zu einem Erzbistum mit besonderer Bedeutung für die Missionstätigkeit (s. S. 23). Seine Italienpolitik hatte Otto Konkurrenz mit dem byzantinischen Kaiser beschert, was spätestens 967 durch die Krönung seines gleichnamigen Sohnes zum Mitkaiser evident geworden war. Zum Ausgleich plante man dessen Verbindung mit einer byzantinischen Prinzessin – ein Vorhaben, das nur bedingt umgesetzt werden konnte: Theophanu, mit der Otto II. 972 verheiratet wurde, war keine Angehörige der Makedonendynastie, sondern die Nichte eines schon bald von der Macht verdrängten Usurpators. Sie sollte künftig ähnlich wie Adelheid, die Kaiserin an Ottos I. Seite, Kristallisationspunkt für politische Allianzen sein. Ihr Brautschatz wurde im Reich verteilt; es ist fraglich, ob die großen künstlerischen Schöpfungen der späteren Ottonenzeit hätten entstehen können, wenn dieser Impuls aus dem Osten ausgeblieben wäre. So kam das Kaisertum 972 gleichsam auch in seinen repräsentativen Ausprägungen im Reich der Ottonen an.

Durch die Kaiserwürde samt den damit verbundenen Aufgaben (Schutz des Papsttums, Mission) hatte Otto seine Herrschaft mit neuen Aufgaben belastet, ohne daß zugleich der institutionelle Apparat zur Verstetigung dieser Leistungen geschaffen worden wäre. Der Nachfolger Otto II. (973–983) sah sich praktisch auf allen Feldern ottonischer Politik mit gravierenden Problemen konfrontiert: Über seine eigene zehnjährige Herrschaft hinaus spannte sich die Auseinandersetzung mit Heinrich «dem Zänker», dem umtriebigen Sohn von Ottos I. Bruder Heinrich, der nur vorübergehend durch Haft kaltgestellt werden konnte. Demgegenüber nahm sich ein handstreichartiger Überfall des westfränkischen Königs Lothar auf Aachen (978) eher wie ein Intermezzo aus. In lebensgefährliche Situationen sollten Otto die Verpflichtungen bringen, die er mit dem Kaisertum übernommen hatte. In Konkurrenz zum Ostkaiser das Papsttum und die gesamte Christenheit zu schützen, hieß, die verstärkten sarazenischen Übergriffe auf Süditalien abzuwehren. 982 führte Otto II. ein gewaltiges Heer am Kap Colonne bei Cotrone in die Schlacht; er erlitt eine vollständige Niederlage. Fast zur selben Zeit erhoben sich die slawischen Stämme östlich der Elbe. Hamburg wurde zerstört, die Bischöfe von Brandenburg und Havelberg vertrieben bzw. getötet. Die Erfolge der ottonischen Missionspolitik waren praktisch mit einem Schlag ausgelöscht.

Nach dem überraschenden Tod des Kaisers war es Theophanu, die die Herrschaft für ihren einzigen Sohn Otto III. (983–1002) sicherte. Als sie 991 gestorben war, verteidigte drei Jahre lang Adelheid, die Witwe Ottos I., die Herrschaft des jungen Königs. Im Verein mit Erzbischof Willigis von Mainz erreichte sie, daß sich Heinrich der Zänker, der den Kaisersohn vorübergehend in seine Gewalt gebracht hatte, nicht selbst der Königsherrschaft bemächtigte. Daß sich die Großen des Reichs in dieser Situation für den Verbleib der Herrschaft beim Geschlecht Ottos I. und damit gegen Heinrich den Zänker engagierten, verweist auf den langsamen Aufschwung politischer Vorstellungen, die von der Person des leiblichen Herrschers zu abstrahieren vermochten: Der Gedanke, daß die Königsherrschaft an die Dynastie und nicht lediglich an den derzeit herrschenden *rex* gebunden sei, sollte während der Salier- und erst recht der Stauferherrschaft des hohen Mittelalters eine handlungsleitende Maxime sein. Doch damit waren die Herrschaftskonzepte der Zukunft keineswegs festgelegt! Gerade die extravagante, auf Rom als Herrschaftsmittelpunkt ausgerichtete und durch die demonstrative Verehrung Karls des Großen beeinflußte imperiale Konzeption Ottos III. gab der Integration des ottonischen Herrschaftsverbands für wenige Jahre eine gänzlich neue Richtung. Die Verbindung von Kaiser- und Papsttum wurde dadurch abermals erheblich intensiviert, daß Otto zweimal Männer aus seiner engsten Umgebung auf den Stuhl Petri setzen ließ. Rom sollte die Mitte einer Welt sein, in der sich die christlichen Könige auf die Person eines gebildeten Cäsaren hin orientierten. Zum Mißvergnügen mancher Zeitgenossen wurde das Hofzeremoniell pompösem byzantinischem Brauch angeglichen, sächsische Grobschlächtigkeit (*rusticitas*) habe nun griechischer Finesse (*subtilitas*) zu weichen, so meinte ein Vordenker dieser Politik. Dabei umgab sich der junge Kaiser, der in der Forschung einmal als «Genie der Freundschaft» (J. Fleckenstein), ein andermal als beflissener Musterschüler (J. Fried) charakterisiert wird, nicht nur mit den bedeutenden Gelehrten seiner Zeit; hingezogen fühlte er sich auch zu den Virtuosen der christlichen Askese. Der gewaltsame Tod des Prager Bischofs Adalbert veranlaßte ihn zu einer Pilgerfahrt nach Gnesen (1000), wo die Gebeine des Märtyrers ruhten, und zu einer fundamentalen Neubestimmung im Verhältnis des Ottonenreiches zu seinen östlichen Nachbarn. Auf Ottos Betreiben hin erhielten die polnischen und ungarischen Herzogtümer mit Gnesen und Gran eigene Kirchenprovinzen – ein Schritt, der in Sachsen als unnötige Aufgabe von Herrschaftspositionen kritisiert wurde. Kurz vor seinem frühen Tod 1002 blieb ihm nicht erspart mitanzusehen, wie sein Projekt einer dauerhaften Kaiserpräsenz in Italien scheiterte. Erst in Tivoli, dann in Rom brach unter den Augen des Kaisers ein Aufstand los. Als Otto völlig überraschend starb, erhob eine Adelsfraktion im Handumdrehen den Markgrafen Arduin von Ivrea zum italischen König. Ottos III. Konzeption drohte in ihr Gegenteil umzuschlagen: Die enge Verbindung der nord- und der südalpinen *regna* schien sich aufzulösen. Der Kaiser hatte keine Kinder, und so war für den Augenblick die Zukunft des Reiches so offen wie zuletzt 918.

Von den drei Kandidaten machte ausgerechnet der Sohn Heinrichs des Zänkers, Herzog Heinrich von Bayern, das Rennen. Heinrich II. (1002–1024), der von seiner quasi-königlichen Herzogsherrschaft in Bayern ebenso geprägt war wie von seiner langen Vertrautheit mit der Lebensweise von Klerikern und Mönchen, stützte seine Ansprüche auf seine nahe Verwandtschaft mit Otto III. An dem wechselvollen Prozeß seiner Königwerdung ist aber in erster Linie bemerkenswert, daß sich die Großen des Reichs auf mehreren Versammlungen bemühten, konsensuelle Entscheidungen herbeizuführen (wobei sie Heinrich zunächst keineswegs favorisierten). Das Bemühen, die Herrschaft auch in Ermangelung eines Kaisersohnes ungeteilt weiterzugeben und einschneidende Krisen zu vermeiden, wird hier deutlich spürbar; es verweist auf das allmählich entstehende Bewußtsein von der supragentilen, Bayern, Franken, Sachsen etc. integrierenden Qualität des Reichs. Dies sollte jedoch nicht bedeuten, daß Heinrich II. seine Herrschaft fortan im Konsens mit den Großen ausgeübt hätte! Auf die Herzöge stützte er sich kaum, ja selbst die (männlichen wie weiblichen) Angehörigen der liudolfingischen Familie, die unter seinen Vorgängern stets in konsensstiftende und konfliktbeilegende Maßnahmen einbezogen wurden, wurden von Heinrich kaum noch konsultiert. Konflikte sollten nicht ausbleiben. Die Anforderung an die Großen, dem König schlicht zu gehorchen, stieg zu Heinrichs Zeit beträchtlich und wirkte prägend für die neue Härte der Königsherrschaft im 11. Jahrhundert. Dies hing mit dem Selbstverständnis des Herrschers zusammen, der sich durch eine besondere Gottesnähe über die Welt des Adels emporgehoben glaubte. Diesem zufolge regierte er weniger ein Reich, als daß er «die heilige Kirche Gottes» lenkte und den göttlichen Willen im Diesseits zur Geltung brachte. Eine solche Mentalität ließ durchaus unkonventionelle Handlungsoptionen zu: Mit den nach wie vor heidnischen Liutizen ging er ein Bündnis ein, um seinen Dauergegner niederzuringen; denn von 1002 bis 1018 befand sich Heinrich im Konflikt mit dem polnischen Herzog Boleslaw II. Chrobry, der durch Otto III. eine denkwürdige Rangerhöhung erfahren hatte. Das Verhältnis des ottonischen Reiches zu den östlichen Nachbarn veränderte sich erneut. «Polen» und «Deutschland» sollten fortan zweierlei Geschichte haben, während das böhmische Herzogtum dem Reich eng verbunden blieb.

Intensiver als auf den weltlichen Adel stützte Heinrich seine Herrschaft dagegen auf die Bischöfe des Reichs, denen er in den meisten Fällen selber zu ihren Ämtern verholfen hatte. Doch bei schwierigen Entscheidungen wie dem Projekt einer Bistumsgründung in Bamberg (1007) beugten sich auch die Bischöfe dem Herrscherwillen nur recht zögernd, so wie Heinrichs Förderung der monastischen Reformbewegungen in manchen Reichsabteien nur mit großem Widerwillen ertragen wurde. Adelssöhne aus dem gesamten Reich wurden in der Hofkapelle gefördert, wobei man eine Tendenz zur Bevorzugung von weniger mächtigen Familien ausmachen kann. Auch unter diesem Aspekt betrachtet, bediente er sich als erster König neuartiger und richtungweisender Handlungsoptionen: Im Verlauf des 11. Jahrhunderts sollte die Möglichkeit, Männer von geringerer Herkunft in Konkurrenz zu den Großen auf Königsdienst und -treue zu verpflichten, Schule machen. Für die Zukunft sollte ebenso bedeutsam sein, daß Heinrich von seinem Krönungsumritt an alle Teile des Reiches, also auch Bayern und Schwaben, periodisch aufsuchte. Das bedeutete, daß er überall Beherbergung für sich und sein Gefolge («Gastung») einforderte und damit auch in den vormals königsfernen Regionen den Geltungsanspruch seiner Herrschaft sinnfällig machte.

Doch die Orientierung der Politik an der Herrschaft über Italien und damit am Kaisertum fiel unter Heinrich fast gänzlich weg. Seine frühen Versuche, das junge italische Königtum Arduins von Ivrea zu beenden, blieben halbherzig; sie bescherten ihm 1004 anläßlich seiner eigenen Weihe zum *rex Italiae* einen Einblick in die Ablehnung, auf die die «Barbarenheere» südlich der Alpen stießen. Die Bewohner der Stadt lieferten sich ein wahres Gemetzel mit Heinrichs Truppen, letztere steckten die Stadt in Brand. Zukunftsweisend ist, daß mit diesen Ereignissen die Fremd-Etikettierung der Sachsen, Franken etc. als «die Deutschen» ihren Anfang nahm und daß man sich umgekehrt nördlich der Alpen anschickte, über die gleichsam wesensmäßige Verschiedenheit der tückischen, giftmischerischen «Italiener» zu räsonieren. Auch wenn Heinrich 1014 zum Kaiser gekrönt wurde, erlangte Rom in seinem Denken niemals denselben Stellenwert, den es unter seinen Vorgängern besessen hatte.

Mit dem Tod Heinrichs II. war das Geschlecht der Ottonen im Mannesstamm erloschen. Abermals war abzusehen, daß die gleichzeitige Anwartschaft mehrerer Nachfolger das Reich destabilisieren würde. Also verständigte sich eine Versammlung von geistlichen und weltlichen Großen erneut auf einen der beiden Kandidaten. Diesmal jedoch agierte sie in einer zukunftsweisenden, strukturierten Prozedur: Der Erzbischof von Mainz gab als erster seinen Kürspruch ab, diesem folgten die lärmende Akklamation der Versammelten sowie, wenige Tage später, die Krönung. Mit Konrad II. (1024–1039) löste das um Worms und Speyer begüterte Geschlecht der Salier (der Name ist erst für das 12. Jahrhundert bezeugt) das der Ottonen ab. Zwar orientierte sich der neue König stark an der Herrschaftspraxis seines Vorgängers, doch demonstrierte er andererseits von Anbeginn ein gegenüber den Vorgängern gesteigertes dynastisches Bewußtsein, was zum Beispiel in der Schaffung einer Familiengrablege im Speyerer Dom, aber auch in der baldigen Designation und Krönung seines Sohnes Heinrich (III.) sinnfällig wurde. Der Gedanke, daß die Berechtigung zur Herrschaft über das Reich an die Dynastie gebunden sei, sollte Schule machen. In der Zeit der Staufer, die sich «als letztes Glied eines von Anfang an bestehenden, allein zur Herrschaft legitimierten Kaisergeschlechts verstanden» (St. Weinfurter), sollte er noch gesteigert werden.

Konrad gilt als besonders erfolgreicher, ja autokratischer Herrscher. Ganz ähnlich wie sein Vorgänger und auch wie sein Sohn und Nachfolger zeigte er sich im Konflikt mit den Großen kompromißlos. Praktiken der Konfliktbeilegung, die auf Ausgleich und Versöhnung zielten, wurden nun zunehmend durch das strenge Urteil des Hofgerichts abgelöst. Wie die zeitgenössischen Magnatenfamilien bemühten sich auch die Salier, ihren Besitz zu arrondieren. Hieraus resultierte ein Konkurrenzverhältnis zwischen König und Adel um Rechte und Ressourcen (siehe III. 1). Adliger Widerstand zielte von nun an sogar auf das Leben des Königs, was in ottonischer Zeit ganz ungewöhnlich gewesen wäre. Als problematisch und langfristig folgenreich sollte sich der Umstand erweisen, daß die Entfremdung des sächsischen Adels von den Königen weiter voranschritt. Als sächsischer Stützpunkt der Könige diente lediglich die Pfalz Goslar, weite Teile Sachsens betraten die Könige nicht mehr. Im ganzen Reich betonten die frühen Salier den Amtscharakter des Herzogtums stärker; gerade Konrad II. handhabte die Vergabe von Herzogtümern konsequent zum Nutzen der eigenen Familie.

In Italien gelang es, weltliche Adlige mit der Herrschaft der «Deutschen» zu versöhnen, indem Konrad die Markgrafen von Canossa, in Rom die Grafen von Tusculum förderte. Letztere rekrutierten auch die Päpste aus den Reihen ihrer Familie – die Ära der Tuskulanerpäpste hob an, die 1046 mit den Synoden von Sutri und Rom (das heißt mit dem Beginn der römischen Kirchenreform) beendet werden sollte. So prächtig Konrads

Kaiserkrönung (1027) auch ausfiel, so kollidierte sie doch abermals mit einer blutigen Auseinandersetzung: Ein Streit um den Marktwert einer Kuhhaut wuchs sich zu einer Schlacht zwischen Einheimischen und Fremden aus. Von Mittel- und Süditalien wollte der erste Salierkaiser im Unterschied zu den Ottonen nichts wissen. Dagegen assoziiert man mit seiner Herrschaft den Umstand, daß das Königtum in Burgund 1033 an Konrad fiel. Fortan bestand das mittelalterliche *Imperium* aus einer Trias von Reichen, nämlich aus dem der Deutschen, aus Italien und Burgund.

Gilt Konrads Herrschaft über das Reich heute schon als stark und wirkungsvoll, so hat man doch das Königtum seines Sohnes Heinrich III. (1039–1056, Kaiser seit 1046) als den Höhepunkt kaiserlicher Machtentfaltung angesehen. Seine burgundische Herrschaft erwies sich als völlig unproblematisch, das alte ottonische Königsgut in Sachsen suchte er wieder für das Königtum zu gewinnen und zu erweitern. Die Leitung der Hofkapelle, bisher eher ein Ehrenamt im Besitz des Mainzer Erzbischofs, wurde unter ihm funktional neu definiert und strenger der herrscherlichen Leitung unterstellt. Die Spitze der geistlichen Hofämter bildete fortan der Erzkanzler.

Folgenreich sollte sein, daß sich Heinrich in dem Bestreben, seine bevorstehende römische Kaiserkrönung vor Anfechtungen zu bewahren, nach dem Vorbild der Ottonenkaiser in die Belange des Papsttums einschaltete. Gleich drei Päpste, die um die Rechtmäßigkeit ihrer Amtsführung stritten, wurden auf seine Initiative hin 1046 auf Synoden in Sutri und Rom abgesetzt bzw. zum Amtsverzicht bewegt. Heinrich herrschte so unnachgiebig wie sein Vater über die Kirche seines Reiches, übte etwa als erster die Investitur von Bischöfen mit den Symbolen Stab *und* Ring, scheint aber im Unterschied zu Konrad II. keine materiellen Leistungen als Gegengabe für die Übertragung von Bistümern akzeptiert zu haben. Nach dem Akt von Sutri ließ er sukzessive gleich vier Bischöfe aus dem Reich zu Päpsten kreieren, die entgegen dem bisherigen Brauch neben der *cathedra Petri* weiterhin ihre deutschen Bistümer behielten. Dies war eine ungewöhnliche Praxis, der ein neues und nicht in Italien herangereiftes Verständnis des Papsttums zugrundelag. Der Papst wurde hier nicht mehr als einer der Bischöfe angesehen, sondern als eine Instanz, die über den Episkopat erhaben war. Denkformen wie diese zeigen, daß Heinrich III. den Gedanken der zeitgenössischen Kirchenreform, die seit der Jahrhundertmitte in Rom ihre Wirkung entfaltete (und dabei ironischerweise Heinrichs Herrscheramt abqualifizierte), nahe stand. Wohl kaum in ihrer Tragweite absehbar war den Zeitgenossen der Beginn der Spaltung zwischen der lateinischen und der griechischen Kirche, die 1054 mit dem Austausch von Bannbullen begann. Als Ketzer habe zu gelten, «wer mit der römischen Kirche nicht übereinstimmt», so erläuterte man jetzt im Westen. Aufgehoben wurde die wechselseitige Verfluchung erst unter Papst Paul VI. während des Zweiten Vatikanischen Konzils 1965.

Es scheint, als hätte sich in den «deutschen Landen» bereits in den letzten Lebensjahren dieses mächtigsten aller salischen Herrscher jene Unzufriedenheit breit gemacht, die dem Thronfolger Heinrich IV. zum Verhängnis werden sollte. Möglicherweise hatte hierzu die Beobachtung beigetragen, daß sich der Kaiser in Konflikten mit den Großen (insbesondere mit Herzog Gottfried dem Bärtigen von Lothringen) unnachgiebig hart zeigte und generell die Anbindung der Herzogsämter an das Königtum intensivierte (1055 sogar Übertragung des bayerischen Herzogtums an seine Gemahlin Agnes, was unerhört war). Offenbar entging Heinrich III. in Sachsen recht knapp einem Mordanschlag. Der darauf folgende Prozeß trug zur weiteren Verschlechterung der Beziehungen zwischen dem Königtum und dem sächsischen Herzogtum der Billunger bei. Der Eindruck machte sich breit, daß man die Zeche für den Unterhalt des Königshofs zu zahlen habe und daß das Volk der Sachsen dabei seine «Freiheit» verlöre.

Als Heinrich III. gestorben und der knapp sechsjährige Heinrich IV. alleiniger König war (1056–1106), trugen sich sächsische Große möglicherweise sogar mit Plänen, das Kind zu stürzen und zu ermorden. Die Regentschaft seiner Mutter Agnes war wenig erfolgreich, und die handstreichartige Entführung des jungen Königs durch Erzbischof Anno II. von Köln («Staatsstreich» von Kaiserswerth) offenbarte eher die Rivalität zwischen den einflußreichsten Köpfen um Kaiserin Agnes, als daß sie zu einer Lösung beigetragen hätte. Dadurch, daß die Kaiserin die Entstehung eines Papstschismas provozierte, wuchs die Entfremdung des Reformpapsttums vom Hof der Salier. Dieselbe autoritäre Kirchenpolitik, die man unter Heinrich III. gutgeheißen hatte, wurde nun im Licht rapide veränderter Wertmaßstäbe schroff kritisiert. Und gerade weil die Verfügungsgewalt der ottonischen und salischen Herrscher über die Kirchen in ihren *regna* so umfassend gewesen war, vermochte die Reformbewegung die deutsche Königsherrschaft viel grundlegender zu destabilisieren als die anderen. Der noch junge König Heinrich IV. mußte sich 1074 vom konfliktfreudigen Papst Gregor VII. (1073–1085) sagen lassen, daß er ja lediglich ein *rex Theutonicorum* sei, also auf einer Stufe mit den übrigen weltlichen Herrschern stehe und damit keinerlei imperiale Ansprüche geltend machen könne (s. S. 11). Kurze Zeit später sollte es zum Schlagabtausch zwischen Heinrich IV. und Gregor VII. kommen.

III. Das Reich bis zum Ende der Stauferzeit

1. Sozialmodelle (II): Adelsherrschaft, Friedensbewegung und Kirchenreform

Im Reich der Ottonen und Salier hatte seit der Jahrtausendwende die Vorstellung vom «transpersonalen», nicht mehr an den einzelnen Herrscher gebundenen Charakter des Königtums allmählich die Entstehung von politischer Identität befördert. Im 11. Jahrhundert sollte diese Denkform Konkurrenz von anderen, ebenfalls zukunftsträchtigen Weltentwürfen erhalten: dem Anspruch des Adels auf eigenständige (das heißt nicht durch Delegation erlangte) Herrschaft, den Ordnungsmustern, die im Rahmen der hochmittelalterlichen Friedensbewegung entstanden, und schließlich der breiten Bewegung zur Reform der Kirche.

Beim Adel des ottonischen Reiches hatte es sich im 10. Jahrhundert um einen Kreis von nur ca. 200 Personen gehandelt, die in amorphen, diskontinuierlichen und offenen kognatischen Sippen organisiert waren. Um die Jahrtausendwende veränderten diese Gruppen ihre Gestalt. Zukunftsträchtig war das schärfer umrissene, agnatisch organisierte Adelsgeschlecht, das sich über die gemeinsame Erinnerung an seine Vorfahren (zum Beispiel eines Spitzenahn als Gründerfigur) definierte. Eine Burg und eine Familiengrablege (ggf. in einem Kloster, dessen Vogtei man innehatte) galten als Stammsitz und Herrschaftsmittelpunkt. Vor allem das Leben auf den immer häufiger anzutreffenden steinernen Höhenburgen sollte zu einem wichtigen Faktor für die Entstehung neuer Adelskultur werden. Die Adligen verließen die Herrenhöfe ihrer Grundherrschaften. Die Macht der Geschlechter beruhte darauf, wie erfolgreich Besitz akkumuliert und dann – möglichst ungeteilt – an die nächste Generation weitergegeben werden konnte. Waren die Beziehungen zum Königtum schon vor dem ausgehenden 10. Jahrhundert durch das Lehnswesen geregelt, so profitierte man nun von der Bereitschaft der Könige, die Umwandlung von Lehen in frei verfügbares adliges Eigentum zuzulassen (Allodialisierung, von «Allod» = Eigentum). Damit war auch die Voraussetzung für die abermalige Weitervergabe der Güter an Untervasallen und folglich für die hierarchische Abstufung des Adels gegeben. Durch die Anhäufung von Vogteirechten, durch den Erwerb von Grafschaften, durch den Bau von Burgen und durch Landgewinnung ließ sich solcher Besitz in Konkurrenz mit anderen Geschlechtern, aber eben auch in Konkurrenz mit dem König selbst ausdehnen. Daß sich seit den letzten Jahren Heinrichs III. das Verhältnis der salischen Könige zum Adel verschlechterte, ist vorrangig darauf zurückzuführen, daß Königtum und Adel in ihrem Bestreben nach Besitzerweiterung zu Rivalen geworden waren.

Aufmerksame Zeitgenossen, die diese Entwicklung beobachteten, griffen zur Beschreibung ihrer neuen Wirklichkeit seit der Jahrtausendwende auf ein neues Deutungsschema zurück. Ihm zufolge unterschied man die Menschen nicht mehr nach ihrem Rechtsstatus in Freie und Unfreie, sondern nur noch nach ihrer Tätigkeit, das bedeutete nach zeitgenössischem Verständnis: nach ihrem Beitrag zur Einhaltung der gottgewollten Ordnung. Man sprach davon, daß es drei Arten von Menschen gebe, nämlich solche, die beten (*oratores*), solche, die kämpfen (*bellatores*) und solche, die arbeiten (*laboratores*). Die Bedeutung dieses Schemas lag darin begründet, daß es in Zeiten politisch-sozialer Unordnung Orientierung versprach. Es setzte der Alltäglichkeit adliger Fehdeführung einen harmonischen Gesellschaftsentwurf entgegen, es reduzierte die Komplexität jüngster sozialer Veränderungen, indem es von Hierarchieunterschieden abstrahierte und nicht zwischen Mönchen und Klerikern, zwischen Kaisern und Rittern, zwischen Freien und Hörigen, zwischen Bauern und Städtern unterschied. Dieses Schema sollte über die Grenzen des Mittelalters hinaus von Bedeutung sein.

Eine weitere Konsequenz jener sozialen Unordnung, auf die auch das Schema der funktionalen Dreiteilung reagierte, bestand seit dem ausgehenden 10. Jahrhundert in neuen Strategien zur Friedenssicherung, die man insgesamt als die hochmittelalterliche «Friedensbewegung» bezeichnet hat. In den zeitlich früh anzusiedelnden Gottesfrieden, zunächst einem Phänomen des europäischen Südens und Westens, suchten Bischöfe und weltliche Herren die Fehdeführung samt ihren schädigenden Konsequenzen durch Gebot, Einung und Satzung einzudämmen. Bestimmte Personen, Sachen und Orte wurden unter den dauerhaften Schutz eines Sonderfriedens gestellt. Daß dahinter religiöse Antriebe standen, erkennt man daran, daß liturgisch wichtige Tage in der *treuga Dei*, einer Sonderform des Gottesfriedens, besonders geschützt wurden. Die Gottesfriedensbewegung erreichte Deutschland erst spät (Lüttich 1082, Köln 1083) und war von kurzer Dauer. Zukunftsträchtiger erschienen demgegenüber die Landfrieden, die um 1100 unter dem Schutz des Königtums weitergeführt wurden (s. S. 46).

Bildeten die Gottes- und Landfrieden die frühesten Versuche des Hochmittelalters, eine Friedensordnung zu etablieren, so waren die städtischen Einungen, von den Zeitgenossen als «Kommunen» (*communia*) bezeichnet, doch die folgenreichsten. Man kann sie nicht von den Gottesfrieden herleiten, denn sie entstanden nicht durch obrigkeitliches Gebot, sondern durch die freie Einung ihrer Mitglieder. In den Städten sollte die Fehde generell verboten werden. Das Stadtrecht, aber auch der ihn tragende Schwurverband der Bürger selbst konnten als *pax* schlechthin bezeichnet werden! Und doch zielten die Interessen der Städter weiter: Die Kommune von Le Mans lehnte sich 1070, unterstützt durch den Ortsbischof, gegen herzogliche Steuern auf, diejenige von Beauvais nötigte den bischöflichen Stadtherrn 1099 zur Anerkennung des eigenen, «gesetzten» Stadtrechts samt einer für die Bewohner besonders günstigen Zinszahlung. Die soziale Organisation von Menschen in der kommunal verfaßten Stadt sollte große Anziehungskraft erlangen und damit in Konkurrenz zur «ständischen» Auffassung vom sozialen Ganzen treten (Kap. III.3). Sie erreichte Deutschland in einem langgestreckten Prozeß, der von den mutigen Aufständen der Wormser und Kölner Bürger gegen ihren Stadtherrn (1073/74) bis zur Ersterwähnung eines städtischen Rats in Utrecht (1196) reichte.

Der Königsherrschaft der Salier sollten allerdings nicht die städtischen Kommunen gefährlich werden, sondern vielmehr die anhaltenden Anläufe zur Kirchenreform, die man schon als die «geistige Mitte» des Mittelalters bezeichnet hat (H. Jakobs). Schon Zeitgenossen führten diese Reformbewegung auf das Vorbild des schnell wachsenden Klosterverbandes von Cluny zurück. Doch sollte man hierüber andere Zentren des Mönchtums nicht vergessen, die zu einer kritischen Stimmung gegenüber der gegenwärtigen Kirche – und damit der rechten Ordnung in der Welt – beitrugen. Dies gilt besonders für eine Gruppe lothringischer Klöster (v. a. Gorze) und für eine kleine Gruppe italienischer Eremitengemeinschaften (Camaldoli, Vallombrosa), in der das Ideal völliger mönchischer Weltentsagung wiederbelebt worden war. Diese Radikalasketen, die von den Laien ihrer Umgebung außerordentlich verehrt wurden, haben viel dazu beigetragen, daß neue Ansprüche an das Verhalten der Priester gestellt wurden: die traditionelle Forderung nach einem keuschen Leben der Kleriker und die Polemik gegen die Priesterehe (Nikolaitismus) wurden verschärft, die verbreitete Praxis, kirchliche Ämter durch Kauf zu erlangen (Simonie), angeprangert. Charismatische Mönche entdeckten die Predigt als wirkungsvolles Medium, um ihre Ideen zu verbreiten. Insbesondere in Mailand, wo man ohnehin soziale Konflikte austrug (Pataria-Bewegung), verband man seine politischen Anliegen mit denen der Kirchenreform. Wegen der Predigten der Radikalen floß bald Blut.

Zum Zentrum der Reform sollte allerdings seit der Mitte des 11. Jahrhunderts Rom selbst werden. Getragen wurde die Bewegung von einem engen Kreis von Klerikern aus dem unmittelbaren Umfeld der Päpste. Auffallend viele davon, vor allem der bedeutende Papst Leo IX. selbst (1049–1054), stammten ursprünglich aus dem lothringischen Klostermilieu. In Rom veränderten sich mit dem Kampf gegen Ämterkauf und Priesterehe auch die institutionellen Voraussetzungen für ein Papsttum, das der gesamten lateinischen Christenheit vorstehen sollte. War der Papst bisher in den meisten christlichen Ländern «eine erhabene, fast legendäre Gestalt in weiter Ferne» gewesen (G. Tellenbach), so wurde er durch die Straffung der Kirchenorganisation allmählich zum Haupt der okzidentalen Christenheit. Hierzu trug die neue Mobilität der Päpste bei; Leo IX. war allein während seines Pontifikats 20 Monate lang nördlich der Alpen unterwegs. Mit den von nun an häufig einberufenen Synoden stand überdies ein Forum zur Kommunikation und Erzwingung der päpstlichen Politik zur Verfügung. Eine Gruppe von Klerikern beim stadtrömischen Lateranpalast wurde als beständiger Berater- und Verwaltungsstab der Päpste (die päpstliche Kurie) institutionalisiert. Insbesondere die römischen Kardinalpriester wurden nun zu den wichtigsten Helfern der Päpste in allen Belangen, ja als Kardinälekollegium erlangten sie die Kontrolle über die Papstwahl. Kaiser Heinrich III. hatte alle diese Entwicklungen gefördert, seine Witwe Agnes neigte ihnen zu und brachte dennoch die Kirchenreformer gegen sich auf, der junge Heinrich IV. verhielt sich indifferent. Seine Herrschaft sollte durch den Konflikt mit Papst Gregor VII. massiv erschüttert werden.

2. Herrscherdynastie und Fürstenversammlung (1075–1152)

Danach begann der schlimme Kampf, durch den viele ihr Leben verloren, als dem vierten Heinrich das Reich in Unordnung gebracht wurde (Annolied). Als man auch nördlich der Alpen von einem «Reich der Deutschen» zu sprechen begann, war dieses auch schon in einen Bürgerkrieg verstrickt. Verschiedene Konflikte verstärkten dabei einander. Durch seinen Versuch, im sächsisch-thüringischen Raum eine kohärente Königslandschaft zu schaffen, geriet König Heinrich IV. seit 1073 in Konflikt mit lokalen Adelsfamilien. Zugleich begann sich die römische Gruppe der Kirchenreformer um Papst Gregor VII. gegen königliche Ratgeber und letztlich gegen den Salier selbst zu richten. Schließlich reagierten die Bischöfe im Reich auf die umfassende Hierarchisierung und Rom-Zentrierung der Kirche.

Heinrichs Burgenbauprogramm war mehr als nur ein Versuch, verlorengegangenes Königsgut zurückzugewinnen. Die Königsmacht sollte auf Kosten der ohnehin um ihre Freiheiten besorgten sächsischen Adligen ausgeweitet und mit neuen Mitteln verankert werden. Heinrich vergab die Burgen nicht als Lehen, sondern überließ sie königlichen Dienstleuten – damit hatte er sie unter direkter Kontrolle. Die sächsischen Adligen, selbst auf die Arrondierung von Besitz bedacht, wehrten sich energisch. Man bekriegte den König und brandmarkte ihn wirkungsvoll als Tyrannen. Es gelang der Opposition zunächst, den Salier zum Schleifen der umstrittenen Burgen zu zwingen, doch 1075, als die Aufständischen im Reich schon an Popularität verloren hatten, unterlagen sie dem königlichen Heer bei Homburg an der Unstrut. Leidtragende der Auseinandersetzungen waren jedoch in erster Linie unfreie Dienstleute, Bauern und Städter. Sofern sie sich im Konflikt engagierten, neigten sie eher der Partei des Königs zu. Auch schürte Heinrichs Auseinandersetzung mit Papst Gregor die deutschen Konflikte: Diese weiteten sich über Sachsen und Thüringen aus. 1077 wählte eine sächsisch-schwäbische Adelsfraktion Herzog Rudolf von Rheinfelden zum König und bescherte damit der deutschen Geschichte ihr erstes Gegenkönigtum. Als Rudolf 1080 nach einer Schlacht an einer Verletzung starb, setzte die antiheinrizianische Partei mit dem wenig erfolgreichen Grafen Hermann von Salm (1081–1088) abermals einen Gegenkönig ein. Die Konfliktlage in Sachsen selbst konnte man nicht dauerhaft beheben. Noch Heinrichs gleichnamiger Sohn und Nachfolger sollte 1115 in der Schlacht am Welfesholz eine denkwürdige militärische Schlappe erleiden, mit der der deutsche Nordosten der Königsgewalt abermals entglitt.

Die Auseinandersetzung des Salierkönigs mit Papst Gregor VII. entzündete sich daran, daß sich Heinrich und sein Umkreis für die Besetzung des Mailänder Erzbischofssitzes engagiert hatten. Als der König und eine Versammlung deutscher Bischöfe Anfang 1076 den Papst zur Amtsaufgabe veranlassen wollten, reagierte Gregor auf unerhörte Weise: Er exkommunizierte nicht nur königliche Ratgeber, sondern den König selbst, er drohte den Bischöfen der Wormser Versammlung nicht nur den Bann an für den Fall, daß sie ihm nicht in gegebener Zeit Genugtuung leisten würden, sondern untersagte dem römisch-deutschen König auch zu herrschen. Innerhalb kürzester Zeit verstand man den Vorgang so, als habe sich der Papst das Recht herausgenommen, einen König abzusetzen! Ein Anhänger Gregors erinnerte sich kurze Zeit später daran, daß *unser ganzer römischer Erdkreis erzittert ist, als die Kunde von der Bannung des Königs an die Ohren des Volkes drang.*

Bei den Bischöfen des Reichs wirkte dieser Bannspruch sofort. Zwar hatten viele den kompromißlosen Primatsanspruch des Papstes mit tiefer Abneigung beobachtet; *was immer dieser gefährliche Mensch will, das verlangt er von den Bischöfen, als wären sie seine Hausknechte*, kommentierte einer von ihnen Gregors Verhalten. Auch hatte ihnen ihre enge Bindung an die Könige eine Vielzahl weltlicher Rechte und Besitzungen eingetragen. Die Bischöfe waren im Verlauf der vergangenen Jahrzehnte durch die amtsherrschaftliche Durchdringung ihrer Diözesen und nicht zuletzt durch die Verwaltungsaufgaben, die sie im Auftrag des Königtums übernommen hatten, selber zu Herren geworden. Doch hatten sie sich deshalb den Maximen der Kirchenreform nicht verschlossen, und den Tendenzen zur umfassenden Hierarchisierung der Kirche standen sie keineswegs fern. Daher zeigte Gregors unerhörter Schritt Wirkung. In Sachsen brachen abermals Kämpfe aus, und anläßlich einer Versammlung in Tribur am Rhein mußte der König mit ansehen, wie seine Leute ins gegnerische Lager überliefen. Sollte er länger als ein Jahr im Kirchenbann bleiben, dann solle seine Herrschaft tatsächlich als beendet gelten. Auf diese Bedingung mußte sich der Salier einlassen, und so kam es zu seiner berühmten Reise über das winterliche Gebirge zu Papst Gregor. Nachdem Heinrich im Januar 1077 drei Tage im Büßergewand auf Einlaß in die Burg Canossa gewartet hatte, blieb dem Papst nichts anderes übrig, als ihm Absolution zu erteilen und vom Bann zu lösen. Die deutsche Opposition, die auf Gregors Unterstützung gerechnet hatte, war damit zwar geschwächt, aber nicht entmachtet. In dieser Situation erklärte die Forchheimer Versammlung Heinrich für abgesetzt und installierte Rudolf von Rheinfelden als Gegenkönig.

Um dieselbe Zeit, spätestens aber seit der Lateransynode vom November 1078 suchte die Gruppe der römischen Reformer eine andere königliche Herrschaftspraxis zu untersagen: Kein Kleriker dürfe von einem Laien die Investitur in ein Bistum, in eine Abtei oder Kirche empfangen, sei es auch von Kaiser oder König. Damit sollte die bisher wie selbstverständlich geübte Praxis der Könige, Bischöfe durch die Verleihung der geistlichen Investitursymbole Ring und Stab in ihr Amt einzuführen, unterbunden werden. Wo man die Auseinandersetzungen zwischen *regnum* und *sacerdotium* der 1070er bis 1120er Jahre verkürzend als «Investiturstreit» bezeichnet, macht man dieses Verbot zum Namengeber für weit umfassendere Anliegen der Kirchenreform. Als Papst Gregor den König 1080 erneut bannte, reagierte man im Reich schon abgeklärter. Abermals erklärte eine in Brixen versammelte Synode königstreuer Bischöfe Papst Gregor seinerseits für abgesetzt und wählte Bischof Wibert von Ravenna zum Gegenpapst (Clemens III.). 1084 gelang es dem König sogar, auf einem Italienzug durch Unterstützung einer stadtrömischen Partei Gregor aus Rom zu vertreiben, «seinen» Papst Wibert zu installieren und seine und seiner Gattin Kaiserkrönung zu erlangen. Gregor starb im Jahr darauf in Salerno. Seine Nachfolger in der Reihe der antiheinrizianischen Päpste haben den Konflikt fortgeführt, ja mit Urban II. signalisierte ein Papst unter einem besonders folgenschweren Aspekt die Leitungsgewalt über die Christenheit: Auf einer in Clermont gehaltenen Synode forderte er 1095 einen Kriegszug gegen die muslimischen Eroberer Jerusalems zur Befreiung der morgenländischen Christen. Damit war der erste Kreuzzug eingeleitet, der 1099 mit der Errichtung des christlichen Königreichs Jerusalem und der Kreuzfahrerstaaten endete.

Doch auch nachdem er Kaiser geworden war, geriet Heinrich in schwierige Situationen. So wurde er jahrelang militärisch in Nordostitalien festgehalten. Erfolg war ihm 1103 insofern beschieden, als unter seinen Auspizien auf einem Hoftag zu Mainz ein Landfrieden für das gesamte Reich und für die Dauer von vier Jahren beschlossen wurde – eine zukunftsträchtige Institution, mit der die Tradition der Gottesfriedens-Bündnisse (s. S. 41) aufgenommen und verarbeitet wurde. 1104 fiel nach dem älteren auch Heinrichs jüngerer, 1098 zum Mitkönig gewählter gleichnamiger Sohn vom Kaiser ab. Es gelang Heinrich V. (1106–1125), seinen Vater gefangenzusetzen und seine Abdankung zu erzwingen. So starb der stets kritisierte Gegner der römischen Reformpäpste im August 1106 machtlos, jedoch gerade von der einfachen Bevölkerung hochverehrt, unter dem Kirchenbann.

Auch Heinrich V. investierte weiterhin unbeirrt Bischöfe. Zu seiner Zeit deutete sich eine Lösung des Kirchenstreits durch die begriffliche Unterscheidung zweier verschiedener Sphären des Bischofsamtes an, der rein geistlich-sakramentalen Gewalt («Spiritualien») von der Gewalt über das weltliche Gut der Kirche («Temporalien» bzw., falls es sich um königliche Hoheitsrechte handelte, «Regalien»). Auf dieser Grundlage konnte man einen Modus finden, nach dem ein Herrscher einen Bischof zwar mit weltlichem Besitz ausstattete, ohne daß die geistliche Würde des Investierten jedoch Schaden nahm: Liturgie, Weiheakte oder kirchliche Jurisdiktion konnten nicht mehr als königlich delegiert erscheinen. In Frankreich und England hatte man bereits in den ersten Jahren des 12. Jahrhunderts die Investiturfrage mit entsprechenden Regelungen zu lösen vermocht. Im Reich brauchte man hierzu länger, obgleich es Heinrich V. während eines Romzuges 1111 sogar gelang, Papst und Kardinäle gefangenzunehmen und gemeinsam mit seiner Kaiserkrönung eine Verbriefung seines vollen Investiturrechts für das gesamte Reich und mit den geistlichen Symbolen Ring und Stab zu erzwingen. Dieses nicht mehr zeitgemäße Zugeständnis wurde in Rom sogleich als Folge einer Erpressung angesehen und widerrufen. Letztlich waren es die deutschen Fürsten, die nach einer Phase heftiger Konflikte mit dem abermals gebannten Kaiser auf einen Ausgleich mit Papst Calixt II. drangen. Mit dem Wormser Konkordat vom 23. September 1122 wurde der Investiturstreit dauerhaft gelöst. Heinrich verzichtete auf die Investitur mit den geistlichen Symbolen und gestattete die freie kanonische Wahl und die ungehinderte Weihe der Bischöfe, bekam dafür aber von Papst Calixt II. im Gegenzug für Deutschland zugestanden, daß die Bischöfe in seiner Gegenwart gewählt würden und daß er bei Dissens ein eingeschränktes Entscheidungsrecht ausüben könne.

Der Elekt sollte mit der Überreichung eines Szepters (eines unverfänglichen, weil rein weltlichen Symbols) die Regalien übertragen bekommen. Ein Resultat des Wormser Konkordats bestand darin, daß die Regalienleihe in Deutschland fortan als Akt der Belehnung akzeptiert wurde. Das Verhältnis des Königs zu den Bischöfen wurde damit feudalisiert: Die direkte Königsherrschaft über die Kirche, wie sie von den Ottonen und frühen Saliern praktiziert worden war, wich der «Lehnshoheit des Reiches über die Regalien der Kirchenfürsten» (P. Classen).

Auch war das Konkordat insofern bedeutend, als mit ihm der Anspruch der adligen Elite evident wurde, an Entscheidungen über das Reich mitzuwirken. Diese Elite, deren Angehörige jetzt häufiger als *principes*, «Fürsten», bezeichnet wurden, hatte Heinrich IV. und seinem Sohn gegenüber immer selbständiger als Gruppe Position bezogen. Das Reich konnte in diesem Sinne als *res publica* begriffen werden, deren Heil die höchste Handlungsmaxime aller politisch Verantwortlichen sein müsse. Schlechte Herrschaft brandmarkte man als Tyrannei. Seit der Mitte des 11. Jahrhunderts war die Meinung geäußert worden, daß das Königtum nicht ungeprüft vom Vater auf den Sohn übergehen solle. Die Nachfolge Heinrichs IV. hatte man 1053 nur unter dem Vorbehalt akzeptieren wollen, daß dieser *ein Herrscher würde, der das Recht achtet*; den Gegenkönig Rudolf von Rheinfelden hatte die Wahlversammlung von Forchheim 1077 schwören lassen, daß er für seinen Sohn nicht die Erbfolge anstrebe; Heinrich V. drohte man anläßlich seiner Wahl sogar, daß ihn das Schicksal seines Vaters ereilen werde, falls er nicht gerecht regiere. Radikale Gregorianer hatten die Stichwörter geliefert: Einen untauglichen König solle man verjagen wie einen Schweinehirten, der sich nicht um die Herde kümmere. Heinrichs Beurkundung des Wormser Konkordats ergänzte man sogar zum Zweck der Bekräftigung mit den Namen von 18 Fürsten des Reiches, so, als ob der Name des Kaisers für sich genommen nicht genug wäre! Diese Praxis der Zeugenreihen unter königlichen Diplomen sollte die Regel werden. Innerhalb des Herrscherhauses verfestigte sich zur gleichen Zeit aber auch der seit der ausgehenden Ottonenzeit gewachsene Gedanke, daß Königsherrschaft als eine an die eigene Dynastie gebundene Würde anzusehen sei. Um sie für sein Geschlecht zu retten, hatte Heinrich V. 1105 sogar seinem eigenen Vater das Königtum entrissen. Einerseits erschien das Reich repräsentiert durch eine privilegierte Gruppe von Fürsten des Reiches, andererseits von einem von Gott zum Herrschen bestimmten Geschlecht. Die Konkurrenz dieser beiden Sichtweisen blieb unaufgelöst bestehen und erzeugte künftig eine ganz eigene Dynamik.

Auftrieb erhielt die erstere Vorstellung jedoch während der beiden handstreichartigen Königswahlen von 1125 (Lothar III. aus dem Hause Süpplingenburg) und 1138 (der Staufer Konrad III.). Beide Male wurden aussichtsreiche Kandidaten übergangen, scheinbar paradoxerweise gerade *weil* sie die Favoriten ihrer Amtsvorgänger waren! Damit demonstrierten Fürstengruppen, daß sie das *regnum* repräsentierten, ja 1125 mag für Lothar gesprochen haben, daß dieser 52 Jahre alt und kinderlos war – auch die Bestimmung des nächsten Königs durch Wahl statt Erbgang schien damit ausgemachte Sache zu sein. Man hatte den Wahlakt an ein vierzigköpfiges Wahlmännergremium delegiert, worin man abermals einen Versuch zur Objektivierung der Thronfolge sehen sollte. Beide Male brachen nach der Wahl Konflikte mit den unterlegenen Aspiranten aus, die ihre Thronansprüche auf ihre beachtliche Hausmacht gestützt hatten. Der Staufer Friedrich von Schwaben, der gegen Lothar von Süpplingenburg unterlag, hatte sich als designierter Erbe Kaiser Heinrichs V. 1125 viele von dessen Gütern angeeignet, dabei freilich nicht zwischen salischem, das heißt vererbbarem, Hausgut und nicht vererbbarem Reichsgut unterschieden. König Lothar (1125–1137) ließ von einer Fürstenversammlung definitorisch klären, was man unter Haus- und was unter Fürstengut zu verstehen habe. Friedrich verweigerte die Herausgabe, ja seine Partei installierte 1127 sogar mit einem anderen Staufer einen Gegenkönig zu Lothar. Erst acht Jahre später kam es zu einem Ausgleich. Als mit dem Staufer Konrad jener Gegenkönig selbst König wurde (1138–1152), wandte er sich ebenfalls gegen die Machtfülle des Unterlegenen. Der Welfe Heinrich der Stolze war nicht nur Kaiser Lothars Schwiegersohn und Favorit gewesen, er hielt neben der Markgrafschaft Tuszien sowohl das bayerische als auch das sächsische Herzogtum in Händen. Die staufische Partei behauptete, es sei seit unvordenklicher Zeit verboten, zwei Herzogtümer zugleich zu halten. Der Welfe weigerte sich, bekam Sachsen und Bayern entzogen und verfiel der Reichsacht. Über seinen Tod hinaus bekämpfte seine Partei den Stauferkönig, bis 1142 sein Sohn Heinrich der Löwe immerhin das Herzogtum Sachsen übertragen bekam. Anders als Lothar III. gelang es dem Staufer Konrad nicht, Rom und die Kaiserkrönung zu erreichen (was ihn nicht hinderte, sich *augustus* zu nennen). Glücklos blieb er auch mit seiner Teilnahme an dem desaströsen Zweiten Kreuzzug von 1147, der begonnen wurde, um die Zerschlagung eines der vier Kreuzfahrerstaaten, der Grafschaft Edessa, durch die Muslime wettzumachen.

3. Eine Gesellschaft entsteht

a) Eine Epoche des Aufbruchs?

Auch wenn man sich die Lebensverhältnisse frühmittelalterlicher Menschen keineswegs statisch vorstellen sollte, so gewinnt die gesellschaftliche Dynamik mit der Mitte des 11. Jahrhunderts doch eine neue Qualität. Im ganzen Okzident beginnt eine Epoche des beschleunigten Wandels, in der zugleich das Bewußtsein für die kulturelle Spezifik der einzelnen Reiche und Kulturen heranwächst. Europa entdeckt nun seine eigene Vielfalt (M. Borgolte).

Man hat die Bereiche, in denen sich seit dem Beginn des Hochmittelalters Veränderung ereignete, schon häufig katalogisiert. Die Rede war dann vom Wirtschaftswachstum, von Verstädterung und Landesausbau, von extensiver Rodung und der Ausweitung des Handels, von der Monetarisierung der Wirtschaft und der Prägekraft neuer religiöser Bewegungen, von der Verwissenschaftlichung der geistigen Kultur und verstärkter Bautätigkeit. Gab es aber Wandlungsprozesse, die wichtiger als andere waren, insofern man in ihnen erste Ursachen der neuen gesellschaftlichen Dynamik sehen könnte? Immer wieder ist gerade auf den demographischen Aufschwung hingewiesen worden, der schon im frühen Mittelalter einsetzte, der sich nun jedoch stärker bemerkbar machte. Man hat geschätzt, daß Europa um die Jahrtausendwende von 38 Millionen Menschen bevölkert wurde, um 1200 aber von 60 Millionen (die Bevölkerung Englands, die man dank des einzigartigen «Domesday Book» und anderer serieller Quellen besser schätzen kann als andere, wuchs vom frühen 11. bis zum frühen 14. Jahrhundert auf das Zweieinhalbfache an). Es gab Zeitgenossen, die dies mit Sorge beobachteten; ein deutscher Bischof des 12. Jahrhunderts räsonierte darüber, daß das Gebot «Mehret Euch!» zwar früher seine Richtigkeit gehabt habe, daß nun aber, da es zu viele Menschen gebe, Enthaltsamkeit am Platz sei.

Doch ermöglicht wurde die Bewältigung des Bevölkerungswachstums erst durch die Steigerung der landwirtschaftlichen Erträge. Der schollenwendende Beetpflug, seit langem bekannt, gelangte nun tatsächlich zum Einsatz, und mit dem Kummet ließ sich die Anspanntechnik verbessern. Die Dreifelderwirtschaft, die es seit der Karolingerzeit hier und dort gab, wurde nun weit verbreitet. Damit war wiederum der «Vergetreidung» der Landwirtschaft der Boden bereitet. Ernte und Aussaat standen jetzt in einem günstigeren Verhältnis zueinander. Da die Landwirtschaft zunehmend auf Geldwirtschaft beruhte, sah man auf den Grundherrschaften Frondienste als unwirtschaftlich an und ersetzte sie durch Rentenabgaben, was zur Steigerung der Erträge reizte. Der große Durchbruch konnte mit alledem noch nicht erreicht werden. Letztlich ließ sich der verstärkte Bedarf an Nahrungsmitteln nur durch die Gewinnung von Neuland decken. Im Bereich des Altsiedellandes erschloß man Gebirgsregionen wie den Schwarzwald oder die Hochflächen der Alpen, aber auch das Marschland und die Feuchtgebiete entlang der Flüsse und der See. Holländische Siedler, 1113 vom Erzbischof von Hamburg-Bremen ins Land gerufen, lebten in den von ihnen erschlossenen Weserbrüchen nach eigenem, «hollischem» Recht. Am Niederrhein, in Flandern und Holland führte die Binnenkolonisation zu einer für jene Zeit beachtlichen Bevölkerungsdichte.

Die spektakulärste Strategie zur Erschließung von Neuland war die Ostsiedlung. Die Siedlungstätigkeit der Menschen (nicht nur deutscher) in den Regionen östlich der Elbe wurde durch herrschaftliche Initiativen befördert und organisiert von regelrechten Siedlungs-Unternehmern (Lokatoren), deren Projekte um 1200 den Rahmen vereinzelter Rodungsvorhaben sprengten, ja die auf landesweite Erschließungsaktionen hinausliefen. Attraktiv wurde die Abwanderung in die östlichen Regionen dadurch, daß man den Ankömmlingen hier ein Landstück zur erblichen Nutzung überließ. Dieses blieb bis zum Ende des Rodungs- bzw. Entwässerungsprozesses abgabenfrei – erst danach wurden Zins und Pacht für den Grundherrn, kirchlicher Zehnt und gegebenenfalls eine «Bede» für den Landesherrn fällig. Alte Identitäten lösten sich innerhalb weniger Generationen auf, neue entstanden – die Siedler begannen, sich als «Brandenburger», «Mecklenburger» oder «Pommern» zu begreifen. Man hat geschätzt, daß sich während des 12. und 13. Jahrhunderts je 200 000 Menschen, getrieben von der Not zu Hause und angezogen vom besseren Rechtsstatus am neuen Ort, auf den Weg nach Osten machten. Mit ihnen verließen auch andere ihre Heimat, um sich im Altsiedelland durch Urbarmachung eine bessere Zukunft zu sichern; ländliche Dienstleute und landlose Bauern mögen in die Städte der Umgebung abgewandert sein, um dort als Tagelöhner ein Auskommen zu suchen. Erzwungen wurde die Bereitschaft zur Aufgabe der bisherigen Lebenswelt durch Bevölkerungsdruck und Anerbenrecht, das den Erstgeborenen favorisierte, doch getragen wurde es zugleich von einer neuen Haltung zur Mobilität: Der Wegzug in die Fremde wurde nicht mehr als Unglück, sondern als erster Schritt zur wirtschaftlichen Besserstellung begriffen. Die Menschen des hohen Mittelalters waren bemerkenswert mobil, und zwar nicht nur in den oberen sozialen Schichten. Die Pilgerströme, im 11. Jahrhundert bereits ansehnlich, erhielten auf den Straßen zu den Zentren des Christentums noch mehr Zulauf, Fernkaufleute und Scholaren vermittelten Wissen um die Lebensumstände der Menschen in weiter Ferne. Weniger die Kreuzzüge selbst als vielmehr der dauerhafte Kontakt mit den christlichen Staaten des Orients von Konstantinopel bis Edessa trugen zur Verstetigung der Auseinandersetzung mit dem Fremden bei. Auch erwuchs aus der Polemik um das rechte Verhältnis von weltlicher und geistlicher Herrschaft eine generelle Bereitschaft zum Kritisieren der politisch-sozialen wie der religiösen Verhältnisse. Man begann, seine Lebenswelt an Utopien, an angenommenen Idealzuständen der Vergangenheit zu messen.

Wo man sich dauerhaft niederließ, entstanden neue Sozialformen: Waren das Einzelgehöft und der kleine Weiler zuvor typische ländliche Siedlungsformen gewesen, so entstanden jetzt mit den Dörfern größere und komplexere Einheiten. Doch auch zehn bis zwanzig Höfe alleine machten noch kein Dorf. In Dörfern stimmten die Bewohner ihr Wirtschaften funktional aufeinander ab, es gab nicht nur Bauernstellen, sondern Handwerksbetriebe, nicht nur Häuser, sondern Versammlungsplätze, Wege, Brunnen und eine Kirche. An den Siedlungskern grenzten Äcker, Wiesen, Gewässer, Weide- und Waldflächen. Die Bewohner beschlossen über einen Teil des Wirtschaftens gemeinsam. Es herrschte «Flurzwang»: Der Bauer mußte sich diesen Entscheidungen fügen. Der kollektiven Entscheidung folgte die gemeinschaftliche Bewältigung der Aufgaben, auch dadurch, daß man Parzellen gemeinsam als Großfelder (Zelgen) bearbeitete, die Fruchtfolge als Dreizelgenwirtschaft betrieb. Ähnlich wie in den Städten delegierte man Spezialaufgaben an Einzelpersonen aus der eigenen Mitte. Welche Kompetenzen fortan das grundherrschaftliche Gericht, welche das dörfliche Gericht innehatte, war von Ort zu Ort verschieden. Gerichtstage mochten am Hof des Grundherren stattfinden, wobei die Bauern oder ihre Vertreter (die Schöffen) die Urteile fällten.

Auch Städte gab es in immer größerer Zahl, ja man hat das Hochmittelalter als erste Phase europäischer «Verstädterung» bezeichnet. Kennt man für die Zeit um 1100 etwa fünfzig deutsche Städte, so weiß man von weiteren tausend, die bis ca. 1250 hinzukamen. Die meisten von ihnen waren nach unseren Maßstäben freilich winzig klein. Dies hat ökologische Gründe: Schon Siedlungen dieser Größenordnung waren auf so erhebliche Ressourcen von Getreide, Holz und Wasser angewiesen, daß sie ihre Umgebung im weiten Radius auslaugten. Mittel- und Großstädte gar machten ungeheure logistische Anstrengungen erforderlich. Allgegenwärtig war die Gestalt des professionellen Fuhrmanns; der Bau von «Stegen und Wegen» wurde forciert und als frommes Werk honoriert.

So eindrucksvoll sich all diese Veränderungen ausnehmen, so irreführend ist es doch, sie in ihrer Gesamtheit als gesellschaftlichen «Aufbruch» (K. Bosl) oder gar «Aufstieg» (E. Werner) zu etikettieren. Solche Sichtweisen ignorieren nämlich, daß sich die fraglos beeindruckenden Leistungen keineswegs zu einem einsträngigen Modernisierungsprozeß aufrechnen lassen. Charakteristisch ist vielmehr, daß die Phänomene des Wandels in ganz unterschiedliche Richtungen weisen, einander widersprechen – und dennoch gleichzeitig real sind: Als die rechtliche Fixierung von Ständen zum dominierenden Instrument wird, dem rapiden sozialen Wandel durch hierarchische Staffelung Herr zu werden, beginnt auch eine Kultur der Gemeinde und des vertraglich geregelten Kollektivhandelns Gleicher zu erblühen. Die auf Arbeitsteilung beruhenden Ökonomien ermöglichen dem einzelnen eine Vielzahl unterschiedlicher Lebensentwürfe, und doch macht sich allenthalben Unduldsamkeit gegenüber bestimmten Verhaltensweisen breit – es beginnt die Verfolgung von Häretikern, Judenhaß entlädt sich in blutigen Pogromen. Menschen zeigen sich fasziniert von der neuen Pracht ritterlich-höfischer Kultur, verfeinern ihren Lebensstil und zügeln ihre Affekte, und doch gilt es zugleich als höchster Wert, sich aus alledem nichts zu machen und in freiwillig ertragener Armut «nackt dem nackten Christus zu folgen». Resultiert aus der romzentrierten Bewegung der Kirchenreformer (Kap. III. 1) auch ein ganz auf den Klerus fixiertes Verständnis davon, was die Kirche eigentlich sei («Klerikalisierung der Kirche», Th. Schieffer), so wird durch die christliche Armutsbewegung die Religion doch als ein Anliegen aller Menschen in Erinnerung gerufen. Gibt es eine Einheit der Geschichte im hohen Mittelalter, dann besteht sie in der Einheit dieser unauflösbaren Widersprüche. Drei besonders prägende Antinomien sollen in den folgenden Teilkapiteln die «dialogische» (s. S. 13) Qualität der deutschen Geschichte veranschaulichen.

b) Ständeordnung und Gemeinde

Kanalisiert und mental bewältigt wurde die zunehmende Differenzierung menschlicher Lebensformen dadurch, daß man diese definierten Ständen zuordnete. Das Hochmittelalter ist die Epoche der Ständebildung schlechthin. Grundlegend ist und bleibt dabei die Scheidung des «Adels» vom «Volk», doch innerhalb dieser Kategorien werden abermals hierarchische Abstufungen unternommen, die die «Standesehre» ihrer Angehörigen bestimmen – bis zum «Juristenstand» oder zum «Stand» der Dichter und Spielleute. Selbst das Mönchtum organisiert sich jetzt ständisch, insofern die Vollmönche von den gesondert untergebrachten und mit niedriger eingestufter Arbeit betrauten Laienbrüdern geschieden werden.

Die Dynamik, die zur ständischen Abstufung des Adels führte, ging in den deutschen Landen (und nur dort) von einer Kategorie von Aufsteigern aus dem Umkreis der Großen aus: den Ministerialen. Diese waren unfreie, mit Hof- und Waffendienst betraute Dienstleute, die man zunächst im Gefolge der Bischöfe, dann aber auch der Könige ausmachen kann. Seit der Mitte des 11. Jahrhunderts verbriefte man an mehreren Orten ihr Sonderrecht. Offenbar waren sie schon um 1100 von einem den jeweiligen Herrschaftsverband übergreifenden Standesbewußtsein geprägt: Es waren die *ministeriales* verschiedener Herren, die 1104 gemeinsam den Grafen Sigehard von Burghausen töteten, angeblich, weil er ihre Rechte ignoriert hatte. Mit der Herrschaft der Staufer stieg die gesellschaftliche Anerkennung der Ministerialen – die Reichsministerialität wurde nun zur wichtigsten Stütze königlicher Macht. Man hat sich den Ministerialen Markward von Annweiler mächtiger vorzustellen als selbst Barbarossas umtriebigen Kanzler Rainald von Dassel! Seit dem 12. Jahrhundert nahmen sogar die elitären deutschen Domkapitel Angehörige ministerialischer Familien in ihre Reihen auf. Man sah in ihnen schließlich Adlige, auch wenn man ihre unfreie Abkunft darüber nicht vergaß. Die Prägung des Adels durch die Ministerialität bescherte der deutschen Geschichte eine besondere Note: Zunächst trugen die Dienstleute zur rechtlichen Angleichung von Freien und Unfreien bei (Kap. II.2);

langfristig jedoch veranlaßten sie die alten Eliten dazu, sich als eigenen Stand von den Neuankömmlingen in der Adelswelt abzusetzen. Die Scheidung eines hohen, fürstlich bestimmten von einem niederen, ministerialisch geprägten Adel sollte zur sozialen Dynamik des 12. und 13. Jahrhunderts beitragen.

Gerade die edelfreien Geschlechter legten Wert auf diesen Unterschied, konnten aber nicht verhindern, daß sie mit den Ministerialen zum niederen Adel als einem gesonderten Stand verschmolzen. Dessen Inbegriff war das Rittertum. Der *miles* war nicht länger einfach ein «Krieger», vom 9. bis zum 11. Jahrhundert war er allmählich «Ritter» geworden. Die Pflicht zum berittenen Kriegsdienst wurde auf die Inhaber von Lehen konzentriert, da dieses Lehen die Vasallen der Sorge für die Sicherung ihrer Subsistenz enthob. Ritter zu sein hieß nun, einem Höheren zu dienen – ein Kerngedanke der Ritterideologie, der fortan unter westeuropäischem Einfluß verfeinert werden sollte. Man hat das Rittertum als einen «Verhaltenscodex» und zugleich als «sozialen Stand» bezeichnet, «der durch eben diesen Codex gerechtfertigt wurde» (M. Bloch). Als *ordo equester* war es unter dem seit ca. 1180 einigermaßen gut erkennbaren, wenngleich höchst heterogenen Fürstenstand verortet, sein Verhaltenscodex, gruppiert um ethische Imperative wie den Glaubenskampf, den Schutz der Armen, Witwen und Waisen sowie den Frauendienst, erlangte jedoch für den gesamten Adel bis hinauf zum Kaiser Verbindlichkeit. Die ritualisierte Aufnahme in den Ritterstand wurde zu einem Muß, und man sollte es selbst einem König als Makel anrechnen, wenn er die Ritterwürde nicht besaß. Neben dem Kriegsdienst war das Turnier der Ort, an dem sich ein jeder Adlige als Ritter bewähren konnte. Erstmals für das Jahr 1127 erfahren wir davon, daß in Deutschland ein solches veranstaltet wurde. Ritterbürtigkeit wurde für den Adel um 1200 zum maßgeblichen Zugehörigkeitskriterium.

Insgesamt definierte sich der Adel jedoch besonders durch die Abgrenzung von den als minderwertig angesehenen «Bauern». Seit dem 10. Jahrhundert verstand man unter Bauern die unmittelbaren Agrarproduzenten in einer arbeitsteilig organisierten Welt. Ihr Status erscheint im Vergleich zu dem ihrer Nachbarn, die im Herrendienst reüssierten, gemindert. So entstand mit dem Ritter*stand* auch ein Bauern*stand*, und zwar dadurch, daß rechtlich zuvor voneinander geschiedene Gruppen aus dem Bereich der Grundherrschaft, seien sie frei oder unfrei gewesen, durch ihre gemeinsame Tätigkeit miteinander verschmolzen (Kap. II.2). Diese Abgrenzung des Ritters vom Bauern läßt sich am besten mit mentalen Prozessen der Identitätsfindung bzw. der Distinktion erklären, denn die Lebensverhältnisse besser gestellter Bauern und die des niederen Adels haben sich nicht allzusehr voneinander unterschieden. Vom Stand der Bauern (*homines rusticae conditionis*) erfährt man daher meist durch abfällige Bemerkungen aus dem Umkreis der Ritterschaft. Zwar kam es immer noch vor, daß Bauernkontingente in den Kampf geschickt wurden, doch wurde allgemein das Fehlen der Waffen- und Duellfähigkeit zum dominierenden Merkmal des Bauern (Reichslandfrieden 1152). Finde man ein Schwert bei ihm, so dichtet der «Pfaffe Konrad», dann möge man ihn an den nächsten Kirchzaun binden und ihm Haut und Haar abschlagen; habe er einen Streit auszufechten, dann möge er sich mit einer Krücke behelfen.

Auch die städtische Bürgerschaft definierten die Zeitgenossen als Stand. Doch wird man der Stadt als sozialem Phänomen nicht gerecht, wenn man es nur durch das Raster der Stände-Schemata betrachtet. Dies nicht so sehr, weil die Bewohner der Städte mit ganz unterschiedlichen Rechten ausgestattet waren (ohnehin besaß nur ein Teil der Stadtbewohner das begehrte Bürgerrecht), sondern vielmehr deshalb, weil die Stadt als Kommune, deren Angehörige sich Magistrate aus ihrer Mitte wählten (Autokephalie) und sich eine eigene, «gewillkürte» Ordnung gaben (Autonomie), im hohen Mittelalter ein Resultat von Kämpfen und Strategien war, die die ständische Ordnung der Welt unterliefen und der metaphysisch begründeten Einteilung der Menschen in *ordines* einen rationalen, diesseitigen Gesellschaftsentwurf gegenüberstellten.

Historiker fragen heute nicht mehr danach, welches *die* ausschlaggebende Ursache für diesen Prozeß gewesen ist. Stattdessen sucht man sie in mehreren gleichzeitigen Wirkungszusammenhängen zu verorten, von denen die Sorge um Friedensstiftung eine ist (Kap. III.1). Befördert wurde die städtische Schwureinung (*coniuratio*) offenbar durch den Umstand, daß nun innerhalb der Stadtmauern verstärkt Handel getrieben wurde, und ferner dadurch, daß das Leben in der Stadt die Bewohner frei zu machen begann. So gelang es etwa den Bewohnern gerade der rheinischen Bischofsstädte, für einige Generationen mit der Zensualität (das heißt der Verpflichtung ausschließlich auf einen niedrigen Kopfzins, der seine Träger der Mühen von Knechtsdiensten enthob) einen besonders günstigen Status der Unfreiheit zu erwerben, der dann in der frühen Stauferzeit seinerseits zur Freiheit gebessert wurde. Ministerialen, die in Diensten ihrer Herren in den Städten wohnten und dort tonangebend waren, gelang es ebenso wie den Dienstmannen im Kriegs- oder Hofdienst, die Freiheit zu erlangen. Im überregionalen Maßstab Handel zu treiben bedeutete, eine Tätigkeit auszuüben, die gleichsam von Berufs wegen (eingedenk der erforderlichen Freizügigkeit und der ungehinderten Verfügung über die Handelsware) Freiheit voraussetzte. Auch entstand in den Städten allmählich ein Grundbesitzrecht, das nicht mehr von vornherein mit Abgabenpflicht an den Stadtherrn belastet war. Die ältere Praxis der «freien Erbleihe» wurde idealtypischerweise abgelöst von einer Steuer, die die Bürgerschaft in ihrer Gesamtheit für den Stadtherrn aufbrachte. Schließlich sollte der Rechtsgrundsatz gelten: «Stadtluft macht frei»: Wer sich für Jahr und Tag unangefochten in der Stadt aufhielt, konnte von keinem Herrn mehr gefordert werden. Geltung für den Einzelfall konnte dieses Prinzip freilich erst dort erlangen, wo eine Gruppe von Menschen bereits den Hörigenstatus verloren hatte. Nur wo der Flüchtling aus der Unfreiheit schon eine Gruppe von freien Städtern vorfand, konnte er sich an deren Status assimilieren. «Der Bürger war nur frei, weil und soweit er Mitglied einer solchen freien Stadtgemeinde war. Seine Freiheit war keine individuelle, sondern bestand in der Teilhabe an den Freiheiten seiner Stadt» (B. Diestelkamp). Auffällig ist, daß die Stauferkönige, die sich an den italienischen Kommunen die Zähne ausbissen, nördlich der

Alpen Städte als Wirtschaftsräume förderten, zugleich aber die Kommunebildung unterbinden wollten. Dies verstand sich nicht von selbst, wußten doch die Grundherren, daß die Städte gerade wegen ihrer kommunalen Verfassung attraktive Einkommensquellen und schlagkräftige militärische Bündnispartner waren. Aus diesem Grund förderten sie die Kommunebildung oft aktiv, indem sie diese durch stadtherrliches Privileg legitimierten. Neben den Stadtgemeinden, die durch Verschwörungen ihrer Bürger gegen den Stadtherrn entstanden, stehen die vom Stadtherrn persönlich initiierten Schwurverbände.

Die Entwicklungen in Stadt und Land ähnelten sich insofern, als hier wie dort das Prinzip «Gemeinde» strukturbildend wirkte: Die Bewohner handelten nicht als Individuen, sondern als Verband, das heißt als nach außen geschlossene und nach innen regulierende Personengruppe. Im Unterschied zu den Gilden, die es bereits seit dem frühen Mittelalter gab (Kap. II.2), erstreckt sich der Geltungsanspruch ihrer Normen auf einen örtlich oder regional definierten Bereich. Schließlich prägte der Personenverband mit der Schaffung eigener Regeln zugleich eine Regelungsgewalt, ein eigenes Recht, aus. «Ständeordnung» und «Gemeinde» traten insofern in dauerhafte Konkurrenz zueinander, als sie beide denselben Endzustand gewährleisten wollten, nämlich dauerhaften Frieden. Dabei schlugen sie aber diametral entgegengesetzte Wege ein: einmal durch die Legitimation (und damit Pazifizierung) menschlicher Ungleichheit, ein andermal durch vertraglich verbürgte Parität innerhalb fest umrissener Personenverbände. Insofern hat man in der mittelalterlichen Stadt seit dem 18. Jahrhundert den Prototyp der modernen, auf den Idealen von Freiheit, Gleichheit und Brüderlichkeit beruhenden Gesellschaften gesehen.

c) Neuer Wohlstand und neue Unduldsamkeit

Die Menschen des hohen Mittelalters lebten besser als ihre Vorfahren, denn sie hatten teil an dem europaweiten Prozeß, den man als «ökonomische Revolution» bezeichnet hat (M. Bloch). Da der Wandel der Ökonomie auf der Entstehung neuer Gewerbe, der Differenzierung von Aufgaben und der Professionalisierung des Schaffens beruhte, profitierte ein großer Teil der Gesamtbevölkerung von ihr. Das Konsumniveau stieg ebenso wie die Qualität der Behausungen. Mauerwerk wurde nun aus Steinen gefügt, die nicht mehr von Hörigen, sondern von geübten Steinmetzen und eventuell mit Hilfe von Schablonen behauen worden waren. Gesetzt wurde es von Maurern, die im 12. Jahrhundert in so ausreichender Zahl zur Verfügung standen, daß der Backsteinbau populär wurde. Das Können der Zimmerleute, die Verarbeitung von Winkel- und Riegelhölzern ermöglichte die Fachwerkbauweise, diese wiederum den mehrgeschossigen Bau. Häuser wurden dauerhafter gebaut, denn man grub die tragenden Holzteile nicht mehr ins Erdreich ein (wo sie bisher verfault waren), sondern lagerte sie auf Fundamentsteinen und Schwellen («Ständerbau»). Hatte ein Haus früher nur etwa 50 Jahre überstanden, konnte es jetzt zur Heimstätte für Generationen werden. Dies gilt nicht nur für die Stadt! Auch die Bauernfamilien, die es sich leisten konnten, ließen ihre Häuser von den ländlichen Handwerkern anfertigen, bauten in Fachwerk zweigeschossig, zeigten ihren Wohlstand. Kleinbauern benannte man jetzt nach der relativen Einfachheit ihrer Behausungen – im Süden sprach man von Seldnern, in Franken von Koblern, im Westfälischen von Köttern, weil Selden, Kobeln und Kotten die Bezeichnungen für Kleinhäuser waren.

Auch andere Gewerbe florieren. Die Fuhrleute leisten nicht nur deshalb ganze Arbeit, weil sie über verbessertes, zweiachsiges Fuhrwerk verfügen, sondern auch, weil sie die Produkte der Seiler, Böttcher, Kummetmacher, der Sattler und Schmiede nutzen können. Die Weber produzieren auf neuen Webstühlen feinere Tuche in langen Bahnen, das fertige Gewebe wird von anderen Spezialisten verbessert: Der Walker setzt wasserkraftgetriebene Stampfen ein; Färber steigern ihre Leistung, wenn sie das aus Ägypten importierte Alaun einsetzten können. Ihre Ware wird vielgestaltiger – man preist das Blau und Grün des flandrischen, das Schwarz des rheinischen, das Rot des schwäbischen Tuchs. In der französischen Dichtung des 12. und 13. Jahrhunderts ist die Rede von Schwertern und Schilden aus Köln, von Panzern aus Mainz und Helmen aus Bayern.

Man schätzt handwerkliches Know-how: *Hast du dir in den Sinn gesetzt, Glas zu machen,* so schreibt um 1120 ein Experte, *dann errichte einen Ofen aus Steinen und Tonerde, fünfzehn Fuß in der Länge, zehn Fuß breit, auf diese Weise. Zuerst lege den Grund, auf jeder Vorderseite der Breite eine Öffnung, durch welche man das Holz und Feuer hineinbringen könne.* Bildliche Darstellungen der Arbeit am Bau betonen im 12. Jahrhundert noch das Manuelle, die Tätigkeit der Steinmetzen. Einige Jahrzehnte später rücken Skizzen die Maschine ins Zentrum, das Gerät zum Transport und zum Heben schwerer Lasten. Theorie und Praxis werden in ein günstigeres Verhältnis zueinander gebracht, Lieblingsinstrument der Jahrzehnte um 1200 ist der Zirkel (W. Haas).

Die Zentren dieser Innovation sind freilich die Städte, in denen auch die kostbare Kleidung des höfischen Publikums gefertigt wird. Um 1200 gibt es in Regensburg 28 organisierte Gewerbe. Den urbanen Markt könnte man als die Drehscheibe der technischen Innovation bezeichnen – er enthebt die Gewerbetreibenden der Last, ihre Materialien selbst produzieren zu müssen. Die Qualität der beim Händler gekauften Ware ist besser, die Auswahl reicher, die Menge größer. Zeit investiert man jetzt lieber in die Melioration des handwerklichen Produkts und die Steigerung der Produktion. Die Händler verkaufen lieber in den Städten als in Pfalzen, Klöstern und Grundherrschaften, da hier mehr Käufer auf sie warten. «Höher als jemals zuvor war die Prämie, die der Markt auf technischen Fortschritt setzte» (E. Pitz). Freilich profitieren auch die Bauern hiervon, da sie ihre Güter in den Städten direkt an die Konsumenten verkaufen. Manche begeistern sich so sehr für das urbane Leben, daß sie gleich dableiben. 1181 verkauft zu Köln ein junger Mann sein Lehen; er sagt, er sei mittlerweile häufiger mit dem Handel als dem Acker beschäftigt und über diesen urbanen Geschäften des Landlebens überdrüssig geworden.

Freilich gibt es Zeitgenossen, die die neue Freude am Konsum kritisieren. Man sieht Hochmut und Überheblichkeit am Werk, im Hinblick auf die Gesellschaft eine Verwischung der Grenzen zwischen den von Gott harmonisch angeordneten Ständen. Ständedenken soll eingeschärft und durch Aufwands- und Konsumgesetze gestützt werden. Den Bauern verbietet der bayerische Landfriede von 1244 nicht nur das Tragen von Waffen, sondern auch von langem Haar, ihre Kleidung soll einfach und grau, ihre Schuhe nur aus Rindsleder sein. Moralisch-didaktische Literatur lehrt seit dem hohen Mittelalter Demut. Es ist die neue Unübersichtlichkeit des Zeitalters, die nach Wegen der Identitätsfindung durch Abgrenzung suchen läßt: Als die Menschen von den Großkollektiven «Kirche» und «Reich» vereinnahmt werden, als sie angesichts des sozialen Wandels und der Instabilität ihrer Lebenswelt nach Konstanten moralischer Ordnung Ausschau halten, greifen sie auf eine ganze Zahl von Fremdstereotypen und Feindbildern zurück. Die fernen Muslime, aber auch die näher beheimateten heidnischen Slawen werden zu Feinden schlechthin – man glaubt, ihnen ohne Skrupel Leben und Land nehmen zu können. Vom Glauben sei wenig die Rede gewesen, mehr dagegen vom Geld, schreibt ein kritischer Beobachter der Siedlungsaktivitäten im Osten. Die Begegnung mit dem Fremden schützte nicht vor einer feindseligen Attitüde, ja dort, wo man auf der Reise ins Heilige Land den Christen anderer Länder begegnete, entstanden neue Feindbilder. Ungarn seien unterwürfig und treulos, so sagte man, Bulgaren diebisch, die Bewohner Konstantinopels überheblich und arrogant, die Rhomäer jähzornig über alles Maß. Die christliche Bevölkerung der Kreuzfahrerstaaten bestehe aus Verbrechern, Verrätern und Halunken, *die mit den Juden und Sarazenen gegen die Kreuzfahrer aus dem Westen gemeinsame Sache machten.* Langlebige Klischees entstehen: Franzosen gelten als arrogant, Engländer als perfid, Römer treibt ein unstillbarer Hunger nach Geld. Die Deutschen kommen nicht ungeschoren davon: *Unsere Leute konnten die Deutschen nicht ertragen*, schreibt ein Franzose. Abt Suger von St.-Denis ereifert sich über die Plumpheit und Kulturlosigkeit einer Gesandtschaft Heinrichs V. und insbesondere über den feisten und prahlerischen Herzog Welf V. von Bayern; einzig der Erzbischof von Trier sei in der Lage gewesen, sich auf französischem Parkett zu bewegen. Man spricht jetzt vom *furor teutonicus*, wenn man das Klischee vom häßlichen Deutschen bemühen will.

Vor allem aber stieg die Unduldsamkeit gegenüber Menschen der nächsten Umgebung. Für die Judengemeinden der deutschen Städte, die es seit ottonischer Zeit gab, begann mit dem ersten Kreuzzug 1096 die Zeit der Pogrome. In Mainz und Worms wurden praktisch alle Juden ermordet, die Kölner Juden flüchteten in kleinere Orte der Umgebung, starben aber dort. In Speyer, Trier, Regensburg und Prag veranstaltete man Zwangstaufen. Ausschlaggebend für diese Greueltaten waren nicht etwa die bischöflichen Stadtherren oder der König, sondern bewaffnete Haufen am Rand der Kreuzfahrerheere. Für die nächsten hundert Jahre sollten die Pogrome immerhin noch die Ausnahme bleiben. Vom Ende des 12. Jahrhunderts an begann jedoch eine Phase häufigerer Verfolgungen, seit 1250 «gab es überhaupt kein Jahrzehnt mehr ohne Gewalt, sie wurde Teil des Lebens der Juden» (M. Toch). Päpstliche Interventionen zugunsten jüdischer Einrichtungen und jüdischer Religionsausübung (das heißt auch: gegen Zwangstaufen) fruchteten langfristig wenig. Immerhin konnten die Ausschreitungen während des zweiten Kreuzzugs begrenzt werden. Aus der Anschuldigung an Juden, Christen ermordet zu haben, erwuchsen seit dem 13. Jahrhundert Ritualmordvorwürfe. Nach 1290 kamen das Klischee des Hostienfrevels sowie ghettoisierende Maßnahmen dazu. Kleidervorschriften wurden nicht notwendigerweise in diskriminierender Absicht erlassen, wirkten in der Praxis aber so. Unduldsamkeit machte sich auch gegenüber heterodoxen christlichen Gruppen breit – gegen den Willen des örtlichen Klerus, aber auf Betreiben der Bewohner verbrannte man in Köln «seine» Ketzer. Die Verschärfung der Ketzergesetzgebung seit dem III. Laterankonzil von 1179 leistete solchem Verhalten weiter Vorschub. Nach 1250 sollte die Unduldsamkeit gegenüber devianten Formen der Sexualität und gegenüber Angehörigen von Gewerben, die als unehrbar angesehen wurden (Henker, Abdecker, Spielleute etc.), steigen.

d) Ritterlich-höfische Kultur und freiwillige Christusnachfolge

Übte die Stadtkultur schon einen großen Reiz auf die Zeitgenossen aus, so galt das neue Leben am fürstlichen Hof als spektakulär. Man spricht im Hinblick auf das 11. bis 13. Jahrhundert von einem neuen Typus «höfischer» Gesellschaft und einer ritterlich-höfischen Kultur, die, ausgehend von den Fürstenhöfen Westeuropas, während der Stauferzeit im Reich angelangt sei. Der Hof, verstanden als mehr als nur ein räumliches (Aufenthaltsort des Herrschers) und zeitliches (Phase außeralltäglicher Lebensführung) Phänomen, war der Ort, an dem innerhalb der Adelsgesellschaft soziale Rangverhältnisse vermittelt und eingeübt wurden. Konstitutiv für ihn war, daß eine große Zahl von Personen auf den Herrscher als Zentrum fokussiert wurde – darunter dessen Familie und die Gruppe der Hofgeistlichen in ihren vielfältigen Funktionen, aber auch die Inhaber der sogenannten Hofämter: die Verantwortlichen für die fürstliche Kammer (Kämmerer), die Tafel (Truchseß), den Keller (Mundschenk) und den Stall (Marschall). Diese Aufgabenbereiche wurden häufig fürstlichen Ministerialen übertragen, in deren Händen sie erblich werden sollten. Diesen untergeordnet blieb das tatsächlich dienende Personal. Von einem Hof im weiteren Sinn spricht man, wenn zu den besagten Gruppen noch eine große Zahl vorübergehend anwesender Personen hinzukam. Diese hatten sich in Verhalten und Habitus an den Maximen des höfischen Lebens auszurichten. Nur wo durch solche Erweiterung der Teilnehmerschaft ein großes Publikum anwesend war, entstand eine eigene, «höfische» Kultur.

Erkennen konnte man deren Träger zunächst an ihrer Sprache: an der «richtigen» Auswahl von Wörtern, Wendungen und Gesprächsgegenständen. Da man um ihre französische Herkunft wußte, reicherte man seine Rede mit französischen und flämischen Lehnwörtern an – man *strîfelte* sie. Gottfried von Straßburg imitierte zu Beginn des 13. Jahrhunderts in seinem «Tristan» eine solche vorbildhafte *hoverede*, als er die erste Begegnung seines Helden mit König Marke schilderte: *Marke sach Tristanden an: / «vriunt» sprach er «heizestû Tristan?» / «jâ hêrre, Tristan; dêu sal!»* (Dieu vous garde) / *«dêu sal, bêâs vassal!»*

(beau vassal) / *«merci», sprach er «gentil rois, / edeler künic curnewalois* (von Kurnewal). Die Hofgesellschaft war begeistert angesichts solcher Virtuosität : *«Tristan, Tristan li Parmenois* (aus Parmenien) / *cum est bêâs et cum cûrtois!»* (comme il est beau, comme il est courtois). Auch prächtige Kleidung und der zugehörige Gestus zeichneten den Angehörigen des Hofes aus. Im 12. Jahrhundert hielt der französische Gewandschnitt Einzug; das Oberteil wurde bis zur Taille verengt, wodurch sich die Körperformen besser abzeichneten. Die Beinkleider der Männer schlitzte man, um Schönheit und geraden Wuchs zur Geltung zu bringen. Frauenkleider schnitt man nach unten weit und versah sie mit langen Schleppen. Pelzbesatz machte Mäntel und Umhänge kostbar. Der Gesamteindruck sollte bunt sein und durch «heraldische» Teilung an das neue Symbolsystem der Wappen erinnern. Bestimmte Haltungen und Bewegungen unterstrichen die Wirkung der Kleidung. Die Tischsitten wurden feiner, sogenannte «Tischzuchten» lehrten die neuen Benimmregeln: abgenagte Knochen nicht in die Schüssel zurückzulegen, nicht zu schmatzen und zu schnauben, sich diskret zu kratzen, sich vor dem Essen die Hände zu waschen, kurz: sich «höfisch» zu benehmen.

Da hinter dieser Kultur die zeitgenössische Ritterideologie stand, wurde der höfische Ritter für alle Adligen bis hinauf zum Kaiser zum Leitbild männlichen Verhaltens. Dienst am Herrn und an Armen und Schwachen zugleich, Minnedienst an der sozial höherstehenden *vrôuwe* und aggressive Virilität im Kampf – diese Fertigkeiten mußten erlernt werden. Volkssprachliche höfische Dichtung, seit den 1170er Jahren nach französischen Vorbildern und nach den Erwartungen des höfischen Publikums und der fürstlichen Mäzene verfaßt, propagierte und reflektierte dieses Ideal. Die Hofkultur ist die erste laikale Sphäre des Mittelalters, die auf die Erziehung von Jugendlichen nach der Maßgabe eines Bildungskanons zielt. Hierdurch entsteht ein eigenes Bildungssystem («learned chivalry», M. Keen), das nichts mit dem zeitgenössischen Schulbetrieb zu tun hat. Daher bleibt das Rittertum für lange Zeit der Aneignung wissenschaftlicher Bildung abhold.

Der Ort, an dem man sich bewies, war das ritterliche Turnier, das in seiner Ausgestaltung französischen Mustern folgte und daher im 12. und 13. Jahrhundert als «gallischer Kampf» oder «französische Weise» bezeichnet wurde. Das Turnier wird ähnlich wie die Jagd immer stärker Regeln unterworfen. «Höfische Art» (*höveschelt*) ist ein Cluster aus normativen Ordnungen. Eine neue Zweiteilung der Menschen entsteht hieraus: Es gibt solche, die diese Regelwerke verinnerlicht haben, und die hoffernen Ahnungslosen, deren Inbegriff abermals der «Bauer» ist. Bei alledem geht es um die Demonstration von Ehre und Ruhm, von Würde und *milte*. Hofkultur ist eine Kultur des Vorzeigens, des Auftrumpfens. Nicht Reichtum, Kraft und Schönheit selbst, sondern der Akt ihrer Demonstration vor Fürst und Publikum sind der Kern der Sache.

Wenig erstaunlich ist, daß die höfische Kultur in all ihrer Exzentrik und ihrem Körperkult von Anbeginn kritisiert wurde. Doch Kritik wurde nicht nur in den Reihen der kirchlichen Eliten laut. Der ethische Rigorismus des Evangeliums, der bereits in der Vergangenheit immer wieder kirchliche Reformbestrebungen ausgelöst hatte, erreichte im 12. und 13. Jahrhundert mit neuer Intensität die Welt der Mönche, Kleriker und Laien und machte die Abwendung vom weltlichen Leben zu einem Massenphänomen. Als Vorbild galt das Leben der Apostel, die freiwillige Entsagung von persönlichem Besitz. Aus Sorge um ihr Seelenheil, durch Weltentsagung und die Orientierung am Leben Jesu Christi suchten Laien, Männer wie Frauen, die göttliche Offenbarung selbst (das heißt nicht mehr vermittelt durch das Wort der Priester) zu erlangen. Seit dem 11. Jahrhundert war das Mönchtum der Schrittmacher für die Reform der Christenheit gewesen, angeregt durch die Impulse aus Gorze und Cluny, aus Camaldoli, Fruttuaria und Hirsau (Kap. III.1). Daher hielten sich Laien am Ende des 11. Jahrhunderts gerade an die Mönchskonvente und erhofften sich von einem Leben unter mönchischer Anleitung und in der unmittelbaren Umgebung der Klöster ein besseres Leben im Dienst an Gott. *Zu diesen Zeiten*, kommentierte kurz vor 1100 ein Zeitgenosse die Situation im Schwäbischen, *stand das gemeinsame Leben im Reich der Deutschen an vielen Orten in Blüte – nicht allein bei den Klerikern und Mönchen ..., sondern auch bei den Laien.* Er hätte nicht schlecht gestaunt, hätte er die Vielzahl der Gruppen auch abseits der klösterlichen Welt hundert Jahre später sehen können.

Zu Beginn des 12. Jahrhunderts hatte die Ausstrahlungskraft des Klosterverbandes von Cluny, die in Deutschland ohnehin nie so stark wie in Frankreich gewesen war, ihren Höhepunkt bereits überschritten. Daß sich das Mönchtum nicht aus den Reformbewegungen verabschiedete, war der Gründung bzw. langsamen Entstehung von Orden zu danken – zunächst der Zisterzienser und Kartäuser, dann, im 13. Jahrhundert, der Bettelorden: der Franziskaner (in Deutschland seit 1221), der Dominikaner (erste Priorei: Friesach in Kärnten, ca. 1217), später, durch Zusammenlegung älterer Orden, der Augustiner-Eremiten (deutsche Ordensprovinz 1256 gegründet). Erst mit den Zisterziensern kann man überhaupt von der Existenz unterschiedlicher Orden in der Geschichte des Mönchtums sprechen. In ihrer Wertschätzung der körperlichen Arbeit, die jedoch schon bald an separat wohnende Laienbrüder im Umkreis des eigentlichen Mönchkonvents übertragen wurde, illustrieren die Zisterzienser besonders anschaulich die neue Hinwendung zum apostolischen Leben. Mit der ersten Niederlassung eines Konvents in Deutschland (1123 Altenkamp am Niederrhein) setzte eine ganze Welle von Gründungen ein; zur Jahrhundertmitte gab es ca. 50 Zisterzen.

Charakteristisch für die Religiosität des 12. Jahrhunderts ist ferner, daß neben den Mönchsgemeinschaften auch die Säkularkleriker in den Pfarreien, in Kollegiatstiften und Domkapiteln neue Formen des gemeinsamen Lebens praktizierten. Die Augustiner-Chorherren strebten nach einem gemeinsamen Leben in Armut, leisteten zum Zweck der Askese körperliche Arbeit und legten Wert auf die Einfachheit ihrer Kleidung. An diese knüpften die 1120 von Norbert von Xanten gegründeten Prämonstratenser an, ein Orden, der zwischen Mönchtum und Säkularkleriker-Gemeinschaften anzusiedeln ist. Seine Angehörigen verzichteten zwar auf persönliches Eigentum, hielten aber nach apostolischem Vorbild am gemeinschaftlichen Besitz fest. Die Wirkung dieses Lebensentwurfs auf Frauen war beachtlich, doch das Mißtrauen der kirchlichen Hierarchie setzte der *vita communis* von Männern und Frauen Grenzen: Man lebte in Doppelklöstern, das heißt einander benachbart, aber doch getrennt. Die Zahl der Männer- und Frauenkonvente, die bis zum Ende des 12. Jahrhunderts in den deutschen Landen entstanden, hat man auf tausend geschätzt.

Abseits des Ordenslebens haben apostolische Armutsbewegung, monastische und kanonikale Reformen auch den Wunsch der Laien nach neuen Gemeinschaftsformen zum Dienst Gottes inspiriert und befördert. Die Spannweite solcher Formen reichte von recht unverbindlichen (z. B. in Bruderschaften) bis zu denen der Konversen am Rande monastischer Konvente oder denen der laikalen Eremitorien und Hospitäler. Das 13. Jahrhundert vermehrte mit den Bußbrüderschaften und den sog. Dritten Orden die Zahl der «zwischen Orden und Welt stehenden Individuen und Gemeinschaften» weiter (K. Elm). Alle Einrichtungen, von den Orden bis zu den schwach institutionalisierten Formen, waren für Frauen sehr attraktiv, insbesondere für Frauen aus den unteren Schichten. Schon der oben zitierte schwäbische Zeitgenosse des ausgehenden 11. Jahrhunderts hatte dies beobachtet: Sogar in den Dörfern hätten zahllose Bauerntöchter danach gestrebt, der Ehe und der Welt zu entsagen und in Gehorsam gegenüber irgendeinem Priester zu leben. Die Suche nach apostolischem Leben in der Gemeinschaft Gleichgesinnter war nicht nur die erste soziale Bewegung der deutschen Geschichte, die weite Bevölkerungsteile ergriff (ganze Dörfer hätten sich vollständig dem geistlichen Leben gewidmet, schreibt der erwähnte Zeuge); diese Bewegung war zugleich dadurch gekennzeichnet, daß sie zu einem ganz erheblichen Anteil von Frauen getragen wurde. Insofern standen die religiösen Bewegungen des hohen Mittelalters nicht nur in unaufgelöstem Widerspruch zur zeitgenössischen Hofkultur, sondern auch im Widerspruch zur auf das Papsttum ausgerichteten, seit dem Investiturstreit «klerikalisierten» Kirche. Gerade die Laien (und unter diesen die Frauen), die zunehmend spirituell entmündigt wurden, bereicherten die Kultur religiös motivierter Gruppen. Das Mißtrauen im Klerus war daher groß, und zwischen der Anerkennung der Gruppen als religiöse Gemeinschaften und ihrer Verketzerung verlief ein schmaler Grat. Insbesondere dort, wo Laien sich das Recht zu predigen anmaßten, drohte Gefahr.

4. Das Zeitalter der Staufer (1152–1250)

Gleich zweifach bestimmten die Konflikte der Salierzeit noch jene Fürsten des fortgeschrittenen 12. Jahrhunderts, die wie der junge Friedrich I. «Barbarossa», Sohn des staufischen Herzogs Friedrich II. von Schwaben und der Welfin Judith, keine persönlichen Erinnerungen an die Investiturkontroverse hegen konnten. Zum einen prägten die Auseinandersetzungen der Könige mit den potenten Adelsgeschlechtern und -gruppen nach wie vor die politische Kommunikation im Reich. Die neue Herrscherideologie, die schon bald in dem Geschichtswerk Bischof Ottos von Freising kundgetan wurde, stilisierte den jungen König (1152–1190) zum idealen Versöhner. Durch seine staufisch-welfische Abkunft könne er *gewissermaßen als Eckstein* die Feindschaft beider Geschlechter überwinden. Mit Vorabsprachen nachzuhelfen, konnte freilich nicht schaden – bald war Heinrich der Löwe außer in Sachsen auch wieder in Bayern Herzog (aus dem man 1156 das neue Herzogtum Österreich herauslöste, sog. *Privilegium minus*). Barbarossas und Heinrichs Onkel Welf VI. gar urkundete bald nach der Wahl als Herzog von Spoleto, Markgraf von Tuszien und Fürst von Sardinien. Der Babenberger Heinrich Jasomirgott, den man für den Verlust Bayerns schadlos halten mußte, bekam die Herrschaft in Österreich übertragen.

Zugleich wirkten auch die Auseinandersetzungen der Kirchenreform nach. Der Autoritätsverlust insbesondere des römisch-deutschen Königs gegenüber dem Papsttum war gravierend. Friedrich stellte von Anbeginn seine ungeteilte und von päpstlicher Legitimation unabhängige Herrschaft demonstrativ zur Schau. Die Chancen des Wormser Konkordats nutzte er entschieden: Die lehnsrechtliche Bindung der Reichskirchen an den weltlichen Herrscher nahm er sehr ernst und erzwang die daraus resultierenden Pflichten. Wo ohne sein Zutun Bischöfe investiert wurden, schritt er ein, wo Wahlen unklare Ergebnisse erbrachten, bestand er darauf, das entscheidende Wort zu sprechen. Als der Papst die Mit-Kaiserkrönung seines Sohnes Heinrich verweigerte, ließ Friedrich diesen 1186 kurzerhand in Mailand zum *Caesar* ausrufen. Vom Reich sprach man nun in einem anderen Ton; seit 1157 bezeichnete man es als «Geheiligtes Reich» (*Sacrum Imperium*), auf dessen «Ehre» (den *Honor Imperii*) man besonders bedacht sein mußte. Das spätrömische Kaisertum war dem jungen König Bezugspunkt für die Ausformulierung seiner Herrschergewalt; das Werk der Rechtsgelehrten, die das Wissen vom antiken Kaiserrecht verwalteten, machte Barbarossa für die Begründung gegenwärtiger Herrschaft fruchtbar. Schon bald stützte er sich auf die Arbeit der Gelehrten aus der Bologneser Juristenschule und förderte diese im Gegenzug mit einem richtungweisenden Privileg (*Authentica Habita*, wohl 1155). Auf die anderen europäischen Königreiche sahen die Männer aus Barbarossas Kreis (v. a. der Kanzler Rainald von Dassel) herab. Sie provozierten daher die schroffe Kritik eines Johannes von Salisbury: *Wer hat die Deutschen zu Richtern über die Nationen bestellt?*

Neu war Barbarossas Strategie, Synergieeffekte zwischen der Königs- und der Fürstenherrschaft anzuregen. Diejenigen, die in ihren Regionen ihre Macht erweiterten (z. B. indem sie den gräflichen Adel lehnsmäßig von sich abhängig machten), wurden von ihm hierin gefördert, sofern nur die fürstliche Herrschaft ihrerseits lehnsrechtlich, das heißt durch königliche Delegation, begründet wurde. Als legitimer Herzog sollte nicht mehr gelten, wer lokalen Rechtsbrauch übte, sondern wer im Auftrag des königlichen Lehnsherrn den Landfrieden wahrte. Herzogtümer wurden nun noch weniger als zuvor als gentile Größen verstanden, was auch bedeutete, daß der Herrscher sie im richtigen Augenblick durchaus teilen bzw. neue kreieren konnte. Die geistlichen Fürsten beließ man in der vollen Kirchenherrschaft, sofern sie nur die Regalien vom König zu Lehen nahmen und die daran gebundenen Pflichten nicht vernachlässigten. Auch bevorzugte Barbarossa dort, wo Fürsten miteinander konkurrierten, die weltlichen gegenüber den geistlichen. Und doch überforderte er mit seiner extensiven Italienpolitik, die nicht weniger als sechs Heerfahrten für insgesamt 13 Jahre erforderlich machte, gerade die weltlichen Fürsten – sie waren es, die sich schon während des ersten Zuges 1154/55 seinem geplanten Ausgriff nach Süditalien verweigerten. Der Anteil der «geistlichen» Truppenkontingente stieg entsprechend. Die hierarchische Abstufung des Adels, die sich durch die unmittelbare lehnsrechtliche Bindung mancher Magnaten an den Monarchen anbahnte, sollte recht bald sichtbar sein. Bald hatte man gelernt, daß nur derjenige zum neuen Stand der «Reichsfürsten» (*principes regni*) gehörte, der selber vom König belehnt worden war und der zugleich Grafschaften als Lehen ausgeben konnte. Am Ausgang des 12. Jahrhunderts sollte dies für 92 geistliche und 22 weltliche Herren gelten.

Hätte diese Konzeption dazu führen können, daß im Reich eine zentralistisch regierte Feudalmonarchie nach dem Muster Englands oder Frankreichs entstanden wäre? Schon allein die kostspielige Italienpolitik des Staufers strapazierte die Loyalität der Adligen stark, doch gab es noch andere Gründe dafür, warum der Zentralisierung der Herrschergewalt im Stauferreich enge Grenzen gesteckt waren. Nach wie vor blieben weite Regionen des Reichs königsfern, und Friedrichs neue Taktik schürte die Rivalitäten unter den Fürsten mehr, als daß sie diese pazifiziert hätte. Sowohl die Richtung als auch die Grenzen von Barbarossas Konzeption kann man beispielhaft am Fall Heinrichs des Löwen studieren. Dessen Erwerbspolitik im sächsischen Herzogtum, vor allem aber die Bedeutung und Größe seiner Braunschweiger Hofhaltung waren so beträchtlich, daß man Heinrich in jüngerer Zeit nachgesagt hat, auf ein eigenes Königtum hingearbeitet zu haben. Freilich mußte eine derartige Machterweiterung gegen die Interessen anderer Adliger durchgesetzt werden. Zum Verhängnis wurden dem Löwen schließlich die Konkurrenzsituationen, in die er sich damit hineinmanövrierte. Die kaiserliche Unterstützung verlor Heinrich wohl, als er 1176 zu Chiavenna für die Leistung von Heeresfolge in kritischer Situation exorbitante Gegengaben verlangte.

In einem mehrstufigen Prozeß entzog man ihm 1180 seine Herrschaft. Sachsen wurde geteilt, wobei der östliche Teil an die Askanier, der westliche als Herzogtum Westfalen an Heinrichs Erzrivalen, den Erzbischof von Köln, ging. Auch das bislang welfische Herzogtum Bayern wurde aufgeteilt. Heinrich mußte sich zweimal vorübergehend nach England ins Exil begeben und fand dennoch nach Barbarossas Abreise zum dritten Kreuzzug erneut Verbündete. Ein wirklicher Ausgleich gelang erst kurz vor seinem Tod (1195).

Die materiellen und militärischen Leistungen, die Barbarossa den Fürsten abverlangte, waren zu einem erheblichen Teil der staufischen Italienpolitik geschuldet. Die Normannenherrschaft in Süditalien, die Aspirationen des byzantinischen Kaisers auf Herrschaft in Italien, aber auch die aggressiv antikuriale Stimmung in der Stadt Rom selbst veranlaßten Papst Eugen III., schon 1153 im Konstanzer Vertrag ein Bündnis mit Friedrich einzugehen. Durch dieses wurde dem Staufer zwei Jahre später die Kaiserkrönung durch Eugens Nachfolger Hadrian IV. ermöglicht – während der Zeremonie in der Peterskirche tobte in der Stadt Rom, über die erstmals in der Kirchengeschichte das Interdikt verhängt worden war, ein antistaufischer Aufstand. War Friedrichs Verhältnis zu Hadrian ohnehin schon dadurch belastet, daß man an der Kurie zu einer lehnsrechtlichen Deutung des Verhältnisses von Papst und Kaiser tendierte (eine Auseinandersetzung hierum auf dem Hoftag von Besançon 1157 sollte den päpstlichen Gesandten fast das Leben kosten), so wurde diese Situation noch durch einen Ausgleich des Papstes mit dem gemeinsamen Gegner im Süden, dem normannischen König von Sizilien, im Konkordat von Benevent 1156 kompliziert. Schon 1158 machte sich das Heer der Deutschen abermals auf den Weg nach Italien. Dabei blieb es nicht einfach bei der Exekution der Reichsacht, die man 1155 über die Stadt Mailand verhängt hatte. Da die Städte Italiens in dichter Gemengelage mit- bzw. gegeneinander verbündet waren, geriet die Wahrung des kaiserlichen Richteramts nun zu einer grundsätzlichen Auseinandersetzung mit der Welt der Kommunen und ihren Ordnungsprinzipien. Dabei erschien die staufische Partei nicht allein als Wahrerin einer auf Herkommen beruhenden Ordnung. Ihr Bündnis mit der Rechtswissenschaft, 1158 auf dem Hoftag von Roncaglia durch die Hinzuziehung der vier berühmtesten Bologneser Juristen sichtbar gemacht, ließ sie als Inbegriff einer absoluten und überzeitlichen, mit Bezug auf die antiken römischen Caesaren begründeten Universalherrschaft erscheinen. Die Richtersprüche von Roncaglia zielten aufs Allgemeine und sollten für Italien eine von den Zufälligkeiten der Reiseherrschaft unabhängige Grundlage der kaiserlichen Macht samt ihrer Fiskalverwaltung bilden. Sie provozierten den Widerstand einer ganzen Reihe von Städten (insbesondere Mailands), die sich durch erzwungenen Treueid dem Kaiser gegenüber, durch die Einführung von Beamteneiden für Richter, kurz: durch die totale Hierarchisierung ihrer Rechtsbeziehungen zum Kaiser gedemütigt sahen. Eine schismatische Papstwahl 1159, die sich für die staufische Partei verhängnisvoll auswirken sollte, bot ihnen die Möglichkeit zu einem Bündnis mit dem brillanten Papst Alexander III. Zwar wurde die Stadt Mailand 1162 nach ihrer Niederlage gegen Barbarossa buchstäblich aufgelöst, doch erwuchs dem Kaiser in dem Zusammenschluß der antistaufischen Städte zum Lombardischen Städtebund ein mächtiger Gegner. Schon 1167 führten die Bundesangehörigen die zersprengten Mailänder wieder in ihre zerstörte Stadt, bald darauf gründeten sie auf provozierende Weise zwischen den kaisertreuen Städten Asti und Pavia eine Neustadt und benannten sie nach dem Barbarossa-feindlichen Papst: Alessandria! Als Friedrich 1167 die Stadt Rom belagerte und «seinem» Papst eine Inthronisation in St. Peter verschaffte, dezimierte eine Seuche sein Heer: ungefähr 2000 Menschen starben. Der Versuch einer Einigung scheiterte acht Jahre später. Barbarossa sah sich nach der verlorenen Schlacht von Legnano im Frieden von Venedig 1177 genötigt, Alexander III. als rechtmäßigen Papst anzuerkennen und ihm zu huldigen, mit dem Lombardischen Bund und dem Königreich Sizilien hatte er Waffenstillstände zu schließen. «Venedig» und der 1183 in Konstanz ratifizierte Friedensvertrag bedeuteten faktisch die Aufgabe jener kaiserlichen Politik, die 1158 in Roncaglia programmatisch verkündet worden war. Auch nach Barbarossas Tod 1190 auf dem Weg ins Heilige Land sollten die Auseinandersetzungen zwischen Städten und Kaisern fortbestehen.

Die staufisch-päpstlichen Beziehungen wurden schon bald nach dem Abschluß des Konstanzer Vertrags durch ein Ehebündnis neu belastet. Barbarossas Sohn Heinrich VI. heiratete Konstanze, die Tante König Wilhelms II. von Sizilien, des letzten legitimen Nachkommens des normannischen Königshauses. Als Wilhelm 1189 kinderlos starb, trat in der Tat die Erbfolge für Konstanze und ihren Gemahl in Kraft, so daß die Päpste, denen die Rivalität von Staufern und Normannen in der Vergangenheit ein hohes Maß an Handlungsfreiheit verschafft hatte, nun mit einer staufischen Doppelmonarchie nördlich *und* südlich von Rom und dem *Patrimonium beati Petri* konfrontiert waren. Nach wie vor demonstrierten die Staufer gegen den kurialen Widerstand, daß Kaisertum und Papsttum allenfalls als zwei gleichrangige Universalgewalten anzusehen waren. Mit mehr Nachdruck als zuvor bemühte man sich an der römischen Kurie um die Durchsetzung eines päpstlichen Zentralismus in der gesamten lateinischen Kirche, erachtete man die mittelitalischen Länder des heiligen Petrus als ein Territorium, das unabhängig von jeglicher anderen irdischen Herrschaft existierte. Die Päpste, die in jenem «Kirchenstaat» zu Monarchen werden sollten, wurden zu potentiellen Bündnispartnern für eventuelle Gegner der Staufer. Graf Tankred von Lecce, ein unehelicher Sproß der normannischen Königsfamilie, wurde von sizilischen Adligen zum König erhoben, bevor Heinrich VI. in Sizilien militärisch Fuß fassen konnte. Heinrichs Versuch, nach seiner Kaiserkrönung 1191 Neapel zu erobern und sich weiter nach Süden vorzuarbeiten, scheiterte: Konstanze geriet vorübergehend in Tankreds Gefangenschaft, der durch ein Bündnis mit dem englischen König Richard Löwenherz den Rücken gestärkt bekam. Erst als Richard auf dem Rückweg vom dritten Kreuzzug seinerseits in Gefangenschaft geriet und neben einem horrenden Lösegeld die Zusage geben mußte, daß er das englische Königtum vom Reich zu Lehen empfange, konnte sich der Staufer in Sizilien durchsetzen: Mit dem Lösegeld finanzierte man gleich nach Tankreds Tod einen erneuten Italienzug. Zu Weihnachten 1194 wurde Heinrich in Palermo zum König von Sizilien gekrönt, tags darauf gebar Konstanze einen Sohn und Thronfolger: den späteren Stauferkaiser Friedrich II.

Doch mußte man berücksichtigen, daß die sizilische Monarchie seit geraumer Zeit von den Päpsten als Lehen vergeben worden war. Heinrich war gehalten, nach einem Ausgleich mit dem Papsttum zu suchen, dieses zur Anerkennung der Doppelmonarchie zu bewegen. Daß er sich bald zu einem Kreuzzug verpflichten ließ, brachte ihn mit der Kurie ins Gespräch, ja er scheint dieser 1195 ein «höchstes Angebot» unterbreitet zu haben – die genauen Umstände sind dunkel. Auch die Rivalitäten zwischen deutschen Magnaten um die Arrondierung ihrer Machtpositionen erhielten durch die staufisch-päpstliche Gegnerschaft eine neue Note. Häufiger als zuvor hatten die Fürsten die Möglichkeit, einen Papst zum Bündnispartner zu gewinnen – ganz so, wie auch die englisch-französische Konkurrenz um den englischen Festlandbesitz die beiden Monarchien zu potentiellen Bündnispartnern machte. Daß Heinrich der Löwe jetzt Unterstützung durch seine früheren Erzrivalen erfuhr, daß der Mord an einem umstrittenen Bischof von Lüttich dem Stauferherrscher angelastet werden konnte, zeigt, daß Allianzen jetzt leichter wandelbar waren und daß propagandistische Manöver zu einem bestimmenden Faktor politischer Auseinandersetzung wurden. Es ist nur schwer nachzuvollziehen, daß der Staufer Heinrich, immerhin in Palermo Inhaber einer vermögenden Erbmonarchie, in seiner deutschen Herrschaft nicht über die Autorität verfügte, die vakant gewordenen Grafschaften in Thüringen und Meißen einzubehalten! Wahrscheinlich beseelt von eschatologischen Endkaisergedanken, beanspruchte er Lehnsherrschaft über die englischen Könige und die Kalifen von Tripolis und Tunis, betrieb er eine Politik, die wahrscheinlich die Eroberung Konstantinopels (und damit die Wiederherstellung des Römerreichs in seiner vollen Größe) zum Ziel hatte. Mit dem geplanten Kreuzzug rückte die Befreiung des 1187 von Saladin eroberten Jerusalem in sein Blickfeld – doch die deutschen Fürsten zur Anerkennung seines kleinen Sohnes als Thronfolger zu bewegen, war ihm vorerst nicht vergönnt! Heinrich unterbreitete ihnen 1196 seinen sog. «Erbreichsplan»; danach wäre auch das Königtum in Deutschland erblich, die staufische Doppelmonarchie im Reich und in Sizilien mithin dauerhaft zu sichern gewesen. Als Kompensation stellte Heinrich den weltlichen Fürsten eine großzügige Erblichkeitsregelung auch für ihre Lehen, den geistlichen den Verzicht auf mißliebige Königsrechte in Aussicht. Die Fürsten lehnten schließlich ab, ließen sich aber immerhin dazu herbei, Heinrichs Sohn Friedrich doch als Thronfolger anzuerkennen. Wie sein Vater erreichte Heinrich das Heilige Land nicht – er starb im September 1197 noch in Messina, nachdem seine Leute mit dem Kreuzfahrerheer in Sizilien einen antistaufischen Aufstand niedergeworfen und die Verantwortlichen auf grausamste Weise bestraft hatten.

Die Wahl eines Nachfolgers fiel zwiespältig aus und bescherte dem Reich 1198 eine schwere Krise: den staufisch-welfischen Thronstreit. Der dreijährige Friedrich konnte nicht ins Reich geholt werden; stattdessen erreichte seine Mutter Konstanze, daß man ihn in Palermo zum König Siziliens krönte und den gerade inthronisierten Papst Innocenz III. (1198–1216) zum Regenten über Sizilien und Vormund des Kind-Königs machte. Der junge Staufer mußte hierzu auf das römisch-deutsche Königtum verzichten. Nördlich der Alpen ließ sich sein staufischer Onkel Philipp von Schwaben zum König erheben (1198–1208), um der Wahl des Welfen Otto IV. (1198–1218), eines Sohnes Heinrichs des Löwen, zuvorzukommen. Dieser schaffte es jedoch, in Aachen gekrönt zu werden. Das Doppelkönigtum, das so entstand, war problematischer als die früheren: Die höhere Bedeutung, die Geld für das Zustandekommen von Bündnissen spielte, die Einbettung adliger Rivalitäten in die gesamteuropäische Mächtekonstellation (v. a. die Bündnismöglichkeiten, die sich aus der englisch-französischen Feindschaft ergaben); die neue Rolle von Propaganda (für die beispielhaft die politischen Lieder Walthers von der Vogelweide stehen) führten dazu, daß sich die Allianzen der Akteure schnell veränderten, so daß sich für einen siegessicheren Mann wie Otto IV. das Blatt schnell wenden konnte. Philipp von Schwaben, dessen überraschender

Tod 1208 abermals alles veränderte, hatte dank der Loyalität der Reichsministerialen für geraume Zeit einen besseren Stand gehabt als sein Konkurrent. Hatte sich Papst Innocenz III. auch zunächst für den Welfen ausgesprochen (vor allem in der *Deliberatio de tribus electis* v. 1201), so hatte er sich unter dem Eindruck von Philipps Erfolg diesem genähert – um nach dem Tod des Staufers abermals Otto IV. zu stützen.

Doch nicht die Kurzlebigkeit der Bündnisse war das Zukunftsweisende an der Doppelwahl von 1198. Wichtiger war, daß die Beteiligten den Konflikt als Rechtsproblem ansahen und ihn auf juristischem Weg aus der Welt schaffen wollten. Papst Innocenz gilt bis heute als der eigentliche Vollender des monarchischen Papsttums und der kurialen Reformen sowie als Propagator einer konsequenten «Rekuperationen»-Politik, die den italischen Kirchenstaat zu einer weit ausgedehnten Territorialherrschaft machen sollte. Auch wenn die Partei Philipps von Schwaben an der Staufer-Ideologie von der Unabhängigkeit des Kaisertums von den Päpsten festhielt, so geriet der Juristenpapst Ende 1200 doch in die Rolle eines Schiedsrichters. Er hatte so Gelegenheit, Kriterien für die Legitimität der Herrschaft im Reich zu formulieren: Philipp komme als Staufer (ein *Geschlecht von Verfolgern*, wie Innocenz sich ausdrückte) nicht für die Wahl in Frage, denn eine abermalige Weitergabe der Herrschaft innerhalb dieser Dynastie schädige das päpstliche Prüfungs- und Entscheidungsrecht. Als ebenso zukunftsträchtig wie diese sollte sich die päpstliche Anschauung erweisen, daß es unter den Fürsten des Reichs eine zahlenmäßig begrenzte Gruppe von Hauptwählern gebe, deren Beteiligung am Wahlakt unverzichtbar sei. Später sollte man sie als die «Kurfürsten» bezeichnen (s. S. 86).

Als der Welfe Otto IV. 1209 erst einmal zum Kaiser gekrönt worden war, betrieb er genau jene Politik, die Innocenz von einer Stauferherrschaft befürchtet hatte: Er erhob Anspruch auf die kaiserlichen Besitzungen in Mittelitalien und die Eroberung des Königreichs Sizilien. Der Papst exkommunizierte ihn, als er die Grenze zum sizilischen Königreich überschritten hatte. Sobald dies in Deutschland bekannt wurde, engagierte sich eine Fürstenpartei für die Königserhebung des Staufers Friedrich. Mit Unterstützung durch den Papst und die französische Krone gelang es diesem, in Süddeutschland Fuß zu fassen und sich zum König krönen zu lassen. Seinem päpstlichen Mentor machte er in der Goldbulle von Eger weitreichende Zusagen. Damit bahnte sich das Ende von Ottos IV. Herrschaft an. Besiegelt wurde es, als der Welfe gemeinsam mit seinem Onkel, König Johann «Ohneland» von England, in der Schlacht von Bouvines 1214 dem französischen Heer unterlag. Otto starb 1218, ohne erneut eine größere Bedeutung erlangt zu haben. Im Reich herrschte nun Friedrich II. (1212–1250), dem zunächst vieles gelang: die Wahl seines Sohnes Heinrich (VII.) zum Mitkönig – man setzt in seinem Fall die Ordinalzahl VII. in Klammern, da sich ein späterer König ebenfalls als siebenter Heinrich bezeichnen sollte – sowie seine eigene Kaiserkrönung (1220). Der Staufer gestand dem Papst eine formelle Trennung von römischem und sizilischem Königreich zu und stellte in Aussicht, sich selbst nicht in Sizilien zu engagieren. Hieran hielt er sich nicht. Es war Heinrich (VII.), der zunächst nördlich der Alpen das Sagen hatte, und der Kaiser machte sich daran, das von den einheimischen Baronen sowie den Seehandelsstädten Genua und Pisa usurpierte sizilische Königtum zurückzuerlangen.

Friedrich II. weilte selten in Deutschland, und dennoch war die Stauferherrschaft dort für lange Zeit stabil. Auf Heinrichs Wirken kann man dies nicht zurückführen, da dieser unter dem Einfluß von Reichsministerialen eine Städtepolitik betrieb, die in Konkurrenz zu den Positionen der Fürsten stand. Friedrich tendierte in diesem Konfliktfeld zu einer konsequent fürstenfreundlichen Politik, wie er schon 1220 gegenüber den geistlichen Reichsfürsten mit der sog. *Confoederatio cum principibus ecclesiasticis* bewiesen hatte. Als Heinrich elf Jahre später förmlich gezwungen wurde, auch die weltlichen Fürsten vor der Konkurrenz neuer Burgen und Städte zu schützen und Regalienrechte an sie zu delegieren, stellte sich Friedrich abermals auf die Seite des Fürsten – 1232 ratifizierte er das sog. *Statutum in favorem principum*. Hat man *Confoederatio* und *Statutum* lange Zeit als das Ende deutscher Staatlichkeit angesehen (das heißt: als den rechtsverbindlichen Verzicht auf den Ausbau einer starken deutschen Zentralmonarchie), so bettet man deren zweifellos fürstenfreundliche Bestimmungen heute in einen längeren Prozeß des Ausgleichs ein, der den fürstlichen Herrschaften statt der Krone zugute kam. Was diese mittlerweile gewonnen hatten im Bestreben, ihre Machtbasis zu erweitern, schrieb man hier rechtsverbindlich fest. Heinrich lehnte sich gegen seinen Vater auf, ja er suchte sogar das Bündnis mit dessen Erzfeinden, den stauferfeindlichen Kommunen Oberitaliens. Dabei war er chancenlos. Auch ohne größeres Heer gelang es Friedrich 1235, nach Deutschland zu ziehen und seinem Sohn durch ein Fürstengericht das Königtum absprechen zu lassen (bald erhob man stattdessen seinen Halbbruder Konrad IV. zum Mitkönig). Heinrich (VII.) starb, wahrscheinlich durch Selbstmord, nach sieben Jahren Haft.

Mit dem Mainzer Reichslandfrieden erließ Friedrich II. 1235 ein drittes Fundamentalgesetz für Deutschland, in dem im Unterschied zu *Confoederatio* und *Statutum* die Königsrechte im Vordergrund standen (ohne daß dadurch die ersteren beiden widerrufen worden wären). Schon indem er den Rittern des Deutschen Ordens 1226 den Weg nach Preußen geebnet hatte, indem er 1235 die welfischen Eigengüter in Reichslehen verwandelt und als Herzogtum Braunschweig-Lüneburg an Otto das Kind übertragen hatte, indem er in Süddeutschland eine recht erfolgreiche Reichslandpolitik betrieben und die Stadt Lübeck zur Reichsstadt erhoben hatte, bewies Friedrich, daß er bei aller Konzilianz gegenüber den Fürsten auch etwas für das Königtum bewirken konnte. Und auch wenn die Weite der im Reichslandfrieden getroffenen Bestimmungen beträchtlich war, reichten Initiativen wie diese doch nicht an die Radikalität von Friedrichs großem Gesetzeswerk für das Königtum Sizilien heran: den *Liber Augustalis* (1231, auch: Konstitutionen von Melfi). Hier, im Süden, dominierte die aus normannischer Tradition gewonnene Vision eines beamtenmäßig verwalteten zentralistischen Staats. So ist es etwa bezeichnend, daß Friedrich 1224 in Neapel keine Bildungsanstalt nach dem Muster der genossenschaftlich organisierten Universitäten Bologna, Paris oder Oxford (s. S. 111) einrichtete, sondern eine Staats-Hochschule unter königlicher Kuratel. In Deutschland dagegen gab es keine Alternative zum sorgfältig ausgehandelten Miteinander monarchischer und fürstlicher Herrschaften.

In Italien hatte der Kaiser nicht nur seine sizilische Herrschaft behaupten müssen; er setzte auch den Kampf seines Großvaters Barbarossa gegen Mailand und andere Städte fort, die die kaiserlichen Herrschaftsansprüche bestritten. Daß sich Innocenz III. und sein Nachfolger nicht sogleich gegen ihn stellten, war auf sein mehrmals wiederholtes Kreuzzugsgelübde zurückzuführen. Am vierten Kreuzzug, der 1204 unter päpstlicher Führung zur vorübergehenden Zerschlagung des byzantinischen Reichs statt zur Befreiung Jerusalems führte (und damit die Position der Christen in Kleinasien verschlimmerte statt verbesserte), hatten keine Könige teilgenommen. Jetzt ging es darum, mit Friedrich abermals einen potenten Monarchen zum Zug ins heilige Land zu bewegen. Der Staufer leistete 1225 in San Germano einen Eid, mit dem er seine eigene Exkommunikation vorwegnahm für den Fall, daß der Zug nicht bis spätestens Sommer des übernächsten Jahres begonnen würde. Wegen seines anhaltenden Engagements in Italien und einer Erkrankung verstrich dieser Termin – so wurde der Bann gegen den Staufer Wirklichkeit! Es bedeutete für Papst Gregor IX. eine ungeheure Provokation, daß Friedrich II., seit 1225 verheiratet mit der Tochter des letzten Königs von Jerusalem und überzeugt davon, daß dieser Titel ihm nun zustehe, 1228 den Kreuzzug tatsächlich als Gebannter anführte. Sein Heer war klein, doch in Verhandlungen mit den Bevollmächtigten des Sultans von Kairo bewirkte er, daß Jerusalem mit Ausnahme des Tempelbezirks für zehn Jahre christlich wurde. Verlassen konnte er sich dabei einzig auf die Ritter des Deutschen Ordens; Templer und Johanniter, vor allem aber der Patriarch von Jerusalem zeigten sich eher enttäuscht von seinem Verhandlungsergebnis. Wohl aus Rücksicht auf die schwierige Lage, in der sich der örtliche Klerus angesichts seiner Exkommunikation befand, setzte er sich am 18. März 1229 in der Grabeskirche selbst die Krone des Königreichs Jerusalem aufs Haupt. Es kostete den vermittelnden Deutschordens-Hochmeister Hermann von Salza viel Verhandlungsgeschick, im folgenden Jahr die Aussöhnung mit Gregor IX. und damit die Aufhebung des Banns zu erreichen.

Dabei blieb es nicht. Als Papst Gregor Friedrich 1239 zum zweiten Mal bannte, entbrannte zwischen der Kurie und der staufischen Partei ein Propagandakrieg, in dem beide Parteien einander nichts schenkten: Friedrich wurde als «Vorläufer des Antichrist» verketzert, er selbst stilisierte sich zum Christus-Stellvertreter und Endkaiser. Der Kampf gegen den Staufer wurde in den Rang eines Kreuzzugs erhoben, Friedrich seinerseits unterzog den Klerus Siziliens regelrechten Säuberungsaktionen: Er ließ die Teilnehmer einer 1241 anberaumten Synode bei der Anreise abfangen und einige von ihnen jahrelang einkerkern. Gregors Nachfolger Innocenz IV. erklärte den Exkommunizierten auf dem Konzil von Lyon im Juli 1245 zusätzlich für abgesetzt. In Friedrichs Todesjahr 1250 war der Bann noch nicht aufgehoben. Im Reich hatte man zu diesem Zeitpunkt schon zwei Gegenkönige gegen ihn erhoben: erst mit erheblicher finanzieller Unterstützung durch den Papst den glücklosen Landgrafen von Thüringen Heinrich Raspe (1246/47), nach dessen Tod den Grafen Wilhelm von Holland (1247–1256). Auch wenn sich Friedrichs Sohn Konrad IV. (Mitkönig 1237–1254) noch ein Jahr lang im Reich halten konnte, war mit dem Tod jenes außergewöhnlichen Herrschers, dessen Regime bereits von Zeitgenossen mystifiziert wurde, der restlose Zusammenbruch der Stauferherrschaft besiegelt. Obgleich es nach wie vor selbstbewußte Könige und Kaiser geben sollte, wurde die Politik in Deutschland fortan in erster Linie durch das Wirken der Fürsten bestimmt. Staatlichkeit sollte sich hier anders als in Frankreich oder England nicht auf der Ebene des Reichs, sondern in Städten und Territorien entwickeln.

IV. Das Reich im späten Mittelalter (1250–1495)

1. Sozialmodelle (III): Der lange Weg zu einer dualistischen Reichsverfassung

Den Untergang der Stauferherrschaft sieht man heute nur noch bedingt als Epochenzäsur. Auch nach 1250 glaubte man an die Vorrangstellung des römisch-deutschen Königs gegenüber allen anderen Machthabern Europas, an den Anspruch auf die Kaiserwürde, die schon mit der Krönung zum *rex* verbunden sei. Freilich hatte sich der Kontext solcher hochtrabenden Gedanken seit den Tagen Barbarossas verändert: Der Herrscherwille der Päpste innerhalb der römischen Kirche – und damit unweigerlich in allen Reichen, in die der Arm der Amtskirche hineinreichte – war mit dem elaborierten Kirchenrecht und effizienten Institutionen (päpstliche Befehlsgewalt, Kirchenversammlungen, Legatenwesen, Korrespondenz, Reisen etc.) erstarkt. Der wahre Kaiser sei der Papst, meinten die Theoretiker der Kurie. Noch lange nach dem Ausbruch des staufisch-welfischen Thronstreits sollten Päpste die Approbation bei der Wahl eines römisch-deutschen Königs für sich beanspruchen. Nach dem plötzlichen Tod Kaiser Heinrichs VII. (1313) konnte von einer effizienten Herrschaft über Reichsitalien allerdings nicht mehr die Rede sein, so daß, mit der Aufteilung Burgunds zwischen dem französischen Königtum und dem *imperium,* die ehemalige Trias der Reichsteile Deutschland-Italien-Burgund faktisch zerfiel. Die Nachbarmonarchien im Westen erstarkten, teils durch die konsequente Ausrichtung des Lehnsrechts und der Fiskalverwaltung auf ihre Könige, teils durch die Ausprägung einer respektgebietenden Herrscherideologie; so etablierte sich zum Beispiel im letzten Viertel des 13. Jahrhunderts in Frankreich und England der Glaube an die Befähigung der Könige, durch Handauflegen bestimmte Krankheiten zu heilen. Hatten einzelne Denker auch schon im frühen 12. Jahrhundert die konkurrierenden Monarchien Europas miteinander verglichen, so gewann doch jetzt die Einsicht Raum, daß es angesichts der europäischen Vielfalt an Regionen, Gestalten und Gebräuchen ganz selbstverständlich sei, daß sich die Herrschaftsformen der Reiche voneinander unterschieden. In der Theorie wurde das römisch-deutsche Reich mit einem besonderen Glorienschein ausgestattet – es galt als «geheiligtes römisches Reich», man sprach von seinen «heiligsten Reichsgesetzen» oder gar der «geheiligten Majestät» seines Herrschers. Seit den späten Jahren Barbarossas hatte man Tendenzen beobachten können, Machtverhältnisse innerhalb der Adelsgesellschaft nicht mehr nur situativ, sondern systematisch in rechtlich verbindlichen Hierarchien festzuschreiben – so insbesondere in der sog. Heerschildordnung, die schließlich im Sachsenspiegel (1220–1235) des Eike von Repgow in elaborierter Form tradiert wurde und die innerhalb der Adelsgesellschaft das Recht zur Ausgabe von Lehen streng reglementierte. Ebenso war die Scheidung der geistlichen und weltlichen Fürsten als «Fürsten des Reiches» vom übrigen Adel, mithin die Etablierung eines Reichsfürstenstands, seit jenen Jahren vorangeschritten (wenngleich vor dem 15. Jahrhundert keineswegs abgeschlossen). Die Verrechtlichung sozialer Beziehungen führte allgemein zu einer Erstarrung von Statusunterschieden, wie umgekehrt das Bedürfnis, solche Hierarchien zu legitimieren, der weitergehenden Festschreibung in Rechtsbüchern, Statuten und Fundamentalgesetzen Vorschub leistete.

Die Könige selbst setzten sich mit dem Reich ineins, und zunächst wurde nur dort, wo man ihnen feindlich gesonnen war, die Anschauung vertreten, das «Reich» sei in Wirklichkeit eine transpersonale Gesamtheit von Gliedern, die mit jeweils eigenen Rechten ausgestattet seien. Von diesem Standpunkt ausgehend, sollten die politischen Akteure am Ausgang des Mittelalters die Ansicht begründen, daß das «Reich» gerade nicht mit dem König identisch sei, sondern vielmehr eine zweite Machtzentrale neben dem Königshof darstelle, repräsentiert durch den von den politischen Ständen beschickten Reichstag. Das Resultat der politischen Kommunikation am Ende des Mittelalters, kräftig intensiviert seit den 1470er Jahren, war eine dualistische Verfassung: In den Reichsständen, das heißt dem in Kurien gegliederten Reichstag, trat dem Kaiser das Reich entgegen (s. S. 118 f.).

Dabei gab es durchaus Elemente in der Mentalität der Zeitgenossen, die eine Machtausweitung des Königtums befördert hätten. Allgemein war seit dem 13. Jahrhundert die Anschauung verbreitet, daß Könige nicht nur geborene Friedenswahrer (und damit Richter) seien, sondern daß es ihnen auch obliege, als «Vater und Sohn, Herr und Diener des Rechts», als «fleischgewordenes Recht auf Erden» neue Gesetze zu schaffen und für ihre Verbreitung und Einhaltung zu sorgen. Seit den Konstitutionen Friedrichs II. für Sizilien (1231, s. S. 79) wurden die europäischen Monarchen zu Gesetzgebern. Weiterhin verstärkte auch das Bemühen um die Zurückdrängung der Fehde oder die Etablierung des Hofgerichts (seit 1235) die enge Verbindung des Königs, ja seine Identifikation mit dem Recht. Die Entstehung der europäischen Universitäten seit 1200, der Aufschwung der Rechtswissenschaften und der gelehrten Juristen im Fürstendienst, die Differenzierung des Gerichtswesens – all dies machte «Recht» nicht nur zu einem Epochenbegriff des späten Mittelalters, sondern kam auch der Ausprägung starker Monarchien entgegen. Und Anspruch auf besondere Autorität erhoben die Könige im Reich schon deshalb, weil sie damit rechnen konnten, Kaiser zu werden – ja ganz wesentliche Kaiserrechte wie zum Beispiel die Praxis, zu Lebzeiten den ältesten Sohn zum Mitkönig erheben zu lassen, sprachen sie sich schon für die Zeit vor der Kaiserkrönung zu. Warum also verlief die Entwicklung im Reich anders als anderswo?

Zum einen blieb das Königtum im Reich bis an die Schwelle zur Neuzeit Wahlkönigtum, woraus sich (jedenfalls im Vergleich zu den Monarchien in der Nachbarschaft) ein Defizit an dynastischer Kontinuität ergab. So bezeichnet man die Jahre bis 1411 als die Ära der «springenden» Königswahlen, da nur in einem einzigen Fall ein Vater die Herrschaft an seinen Sohn weiterzugeben vermochte. Wo es aber an dynastischer Kontinuität fehlte, mangelte es *zweitens* auch an einem stabilen Zentrum der Herrschaft und der Verwaltung, kurz: an einem Know-how des Herrschens, das von Experten hätte weitergegeben werden können. *Drittens* zeigten die Eliten in den Regionen des Reichs ganz unterschiedliche Affinitäten zu den Königen, so daß Historiker heute zwischen «königsnahen» (z. B. Franken), «königsoffenen» (z. B. dem Oberrhein) und «königsfernen» Landschaften (insbes. dem Norden) unterscheiden. Die Güter, die die Herrscher in der Vergangenheit an Vasallen ausgegeben hatten, waren *viertens* durch den für die deutsche Geschichte charakteristischen Prozeß der Allodialisierung (s. S. 40) dem König entfremdet worden und gerieten so zur Grundlage eigenständiger Adelsherrschaft. Da die Ministerialen, die in der Herrschaftspraxis staufischer Könige eine wesentliche Rolle gespielt hatten, im niederen Adel aufgingen und sich damit nicht mehr von anderen Vasallen unterschieden, mangelte es den Königen *fünftens* an einer Funktionselite für die Verwaltung des Reichsguts, deren Angehörige weisungsgebunden und prinzipiell absetzbar gewesen wären. Ein besonderes Manko bestand aber *sechstens* in der Finanzschwäche des Königtums. Nach den Anläufen König Rudolfs von Habsburg und seiner unmittelbaren Nachfolger, verlorengegangenes Reichsgut wieder für das Königtum zu sichern («Revindikation»), setzte mit Ludwig dem Bayern eine Phase der Verpfändung eben jenes Guts ein; Karl IV. sollte so viele Güter verpfänden wie alle seine Vorgänger zusammengenommen. Generell war solches Gut in Deutschland schwer zu verwalten, denn es fehlte an entsprechenden Institutionen. Vom Erlaß von Reichssteuern war seit dem 15. Jahrhundert unter dem Einfluß der Hussiten- und Burgunderkriege sowie der sog. «Türkengefahr» (s. S. 120) immer wieder die Rede, doch scheiterte die Umsetzung dieses Plans selbst noch im Anschluß an den Wormser Reichstag von 1495. Als einträglicher erwies sich die fiskalische Nutzung königlicher Rechte (z. B. des Judenschutzes) und Leistungen (z. B. der Rechtsprechung).

Aus alledem ergab sich ein Defizit an Autorität, das andere zu nutzen verstanden. Traditionsbildend hatte die während des Thronstreits von 1198 von der welfischen Partei ventilierte und von Papst Innocenz III. aufgenommene Anschauung gewirkt, daß bestimmten geistlichen und weltlichen Fürsten bei der Königswahl eine privilegierte Rolle zukomme. Der Verfasser des Sachsenspiegels elaborierte diese Theorie, indem er (ganz im Sinne seiner Zeitgenossen) das Erstkurrecht einiger Fürsten auf den Besitz bestimmter Ehrenämter am Königshof zurückführte. Zum Zeitpunkt der Doppelwahl von 1257 scheint diese Theorie schon eine gewisse Verbindlichkeit erlangt zu haben; mit der Goldenen Bulle Kaiser Karls IV. (1356) konnte sie als ein Reichs-Kurrecht gelten, das im 15. Jahrhundert auch allgemein akzeptiert wurde und während der Genese des Reichstages zur Einrichtung einer gesonderten Kurie für jene privilegierten Königswähler führte. Die «Kurfürsten», wie man die Träger dieses Rechts bereits um 1300 nannte, waren hiernach die Erzbischöfe von Mainz, Trier und Köln, der König von Böhmen, der Pfalzgraf bei Rhein, der Herzog von Sachsen und der Markgraf von Brandenburg. Tonangebend waren zunächst die vier «rheinischen» Kurfürsten (die drei Erzbischöfe und der Pfalzgraf). Sie sollten die Königswahlen zwischen 1308 und 1411 weitgehend unter sich ausmachen. Allzu harmonisch sollte man sich den Umgang der Sieben miteinander aber nicht vorstellen. Die Zusammenfassung in einem genossenschaftlich verfaßten «Kurverein» scheiterte an den weiten Entfernungen und den unterschiedlichen Interessenlagen. Eine wichtige Rolle sollte das Kollegium jedoch auf den «königslosen Tagen» (P. Moraw) spielen, die man seit der prekären Herrschaft König Wenzels (1378–1400) einberief.

Die Macht der Kurfürsten blieb aber letztlich begrenzt, da sich um die Mitte des 14. Jahrhunderts im Reich eine Trias von Großdynastien herausschälte: die Habsburger, die Luxemburger (bis 1437) und die Wittelsbacher. Durch die Vereinigung mehrerer Herrschaften in einer Hand entstanden regelrechte Territorienkomplexe, die auf Modernisierung und Expansion bedacht waren. Veränderungen der Reichsgrenze ergaben sich aus ihnen heraus, nicht durch Initiativen der Reichsspitze. Es war eine deutsche Besonderheit, daß das Reich zwar selbst keine europäische Großmacht werden sollte, daß aber mit dem Aufstieg des Hauses Österreich, also eines seiner Glieder, die für das Europa der frühen Neuzeit charakteristische Konstellation von Großmächten begründet wurde. Der Teil war mächtiger als das Ganze.

So leistete eine ganze Reihe von Faktoren der Ausprägung einer dualistischen Reichsverfassung Vorschub: die Existenz von Großdynastien (die überdies miteinander rivalisierten), das Kurfürstenkollegium, aber auch die Versuche der übrigen Reichsfürsten, sich von den Kurfürsten zu emanzipieren. Zu einem gewissen Abschluß kamen diese Tendenzen mit dem Wormser Reichstag von 1495. Bestand in der Geschichtswissenschaft lange Zeit ein Konsens darüber, daß in jener formativen Phase der Reichsverfassung aus den Territorien des Reichs Territorialstaaten geworden seien, so urteilt man in jüngster Zeit vorsichtiger: Wesentliche Elemente von Staatlichkeit, nämlich das Steuer- und das Heerwesen, konnten im Mittelalter weder im Reich noch in den Territorien etabliert werden.

2. Herrschaft nach staufischem Vorbild oder hegemoniales Königtum? (1250–1400)

Man hat behauptet, es sei unsinnig, die Jahre vom Tod Kaiser Friedrichs II. (1250) bis zur Königswahl des Grafen Rudolf von Habsburg (1273) als Interregnum zu bezeichnen, also als eine Zwischenzeit ohne monarchische Autorität – schließlich habe in jener Zeit doch eher ein Überangebot an Königen bestanden! Nach dem Tod des letzten antistaufischen Gegenkönigs Wilhelm von Holland (s. S. 81) kam es 1256/57 gar zur Doppelwahl gleich zweier europäischer Dynasten: Erhoben wurden König Alfons X. von Kastilien, der das Reich freilich nie betrat, und Richard von Cornwall, der Bruder König Heinrichs III. von England. Richard blieb in die turbulente englische Politik seiner Zeit verstrickt, weilte bis zu seinem Tod 1272 aber immerhin viermal im Reich – gegenüber den letzten Jahren Friedrichs II. war das eher ein Fortschritt als ein Skandalon. Während dieser Doppelwahl reklamierten die sieben Kurfürsten erstmals das Recht der Königswahl exklusiv für sich – ein Anspruch, der an Akzeptanz gewinnen sollte: Als 1273 abermals zu wählen war, sandte der Papst seinen Wahlbefehl nur noch an die Angehörigen dieser Gruppe.

Dennoch ist die Bezeichnung «Interregnum» nicht falsch. Die Zeitgenossen beklagten keineswegs, daß es keinen König gegeben hätte, sondern vielmehr, daß keiner der Könige vor 1273 hinreichend respektiert worden und befähigt gewesen wäre, Rechtswahrung und Frieden zu gewährleisten, die Übermächtigungsversuche der Fürsten zu parieren oder gar den in den letzten Jahren der Stauferherrschaft eingetretenen Verlust von Krongut wettzumachen. So suchte man in den Freien Städten des Rheins, die sich von ihren bischöflichen Stadtherren emanzipiert hatten, und in den werdenden Reichsstädten (s. S. 102) dadurch nach Abhilfe, daß man mit einem Bündnis selber Friede und Recht erzwingen wollte. Auf diese Weise entstand 1254 der Rheinische Städtebund; schon nach einem Jahr gehörten ihm mehr als 70 Städte sowie 30 geistliche und weltliche Herrschaften an. Wenn der König seinen Aufgaben nur unzulänglich nachkommen konnte, dann fungierte das kommunale Modell der Friedenseinung als Anknüpfungspunkt für eine politische Ordnung – nicht als Alternative zum Königtum, aber doch subsidiär zu diesem. Als Wilhelm von Holland starb, handelte der Bund wie ein Reichsvikar und suchte das Königsgut zu bewahren. Erfolg war ihm über diese Aktion hinaus nicht beschieden; er verschwand noch im selben Jahr von der politischen Bühne. Kraft seines Geldes und seiner Autorität blieb vorerst jedoch noch das Papsttum die stille Macht im Reich.

In der Folgezeit dominierte die 1246 mit der Wahl von Heinrich Raspe begonnene Strategie der Königswähler, zur Förderung ihrer eigenen Position Männer von begrenzter Machtfülle zu Königen zu machen. Daher hat man von den Jahren bis 1314 als einer Phase «kleiner» Könige gesprochen – in der Regel Grafen, deren Herrschaftsmittel sich zumal im Vergleich mit anderen europäischen Monarchen bescheiden ausnahmen, und die dennoch über keine anderen politischen Optionen verfügten, als das Herrschaftsinstrumentarium der Stauferkaiser mehr oder weniger glücklos zu übernehmen. Dennoch stellten die Zeitgenossen manche Änderungen gegenüber dem Interregnum mit

Zufriedenheit fest: Diese Könige erneuerten die staufischen Landfrieden, erwiesen sich bisweilen als Förderer der Städte und nutzten nach einer Phase der ostentativen Unterordnung unter die päpstliche Autorität den Bedeutungsrückgang des Papsttums. In seinem Machtkampf mit König Philipp IV. von Frankreich und insbesondere bei dem Überfall von Anagni 1303 erlitt der machtbewußte Papst Bonifaz VIII. (1294–1303) eine schwere Einbuße an Autorität. Sein Nachfolger Clemens V. verlegte 1309 die Papstresidenz nach Avignon, womit die Abhängigkeit der Kurie von der französischen Politik bis zum Ausbruch des Großen Schismas 1378 (s. S. 96) evident wurde. Den damit verbundenen Ansehensverlust des Papsttums konnte man zum neuerlichen Ausbau der Herrscherposition im Reich nutzen. Hatte man an der Kurie um 1300 noch die Abschaffung bzw. Übertragung des Kaisertums an den König von Frankreich beraten, so gelang es dem Luxemburger Heinrich VII. 1312, sich in Rom von Legaten des avignonesischen Papstes zum Kaiser krönen zu lassen. Damit blieb das römische Kaisertum für den Rest des Mittelalters erklärtes Ziel fast aller römisch-deutschen Herrscher, blieb das römische Recht Stütze der Herrscherideologie im Reich.

Richtungweisend für die Jahrzehnte nach 1273 sollte aber zunächst sein, daß nun die großen Dynastien des späten Mittelalters entstanden. Den Anfang machten die Habsburger. König Rudolf von Habsburg (1273–1291), ein keineswegs armer, jedoch nicht der Gruppe der Reichsfürsten entstammender Graf aus dem deutschen Südwesten, wurde von den Kurfürsten in Konkurrenz zu dem premyslidischen König Ottokar II. von Böhmen gewählt. Dieser beugte sich der Kurentscheidung nicht und verweigerte die Lehnsnahme für seine Herrschaft in den Herzogtümern Österreich und Steiermark sowie die Herrschaft in Kärnten. Rudolf, der bei seiner Wahl demonstrativ die «Revindikation» verlorengegangenen Reichsguts zum Ziel seiner Herrschaft erklärt hatte, strengte ein Verfahren, schließlich einen Kriegszug gegen Ottokar an und entschied diesen mit der Schlacht bei Dürnkrut (1278) für sich. Die Herrschaft im Südosten beließ er bei seinem ältesten Sohn Albrecht, womit jener habsburgische Machtkomplex in Österreich entstand, der bis 1918 europäische Großmacht bleiben sollte. Auf künftige Herrschaftstechniken verwies auch Rudolfs Entscheidung, nach dem habsburgischen Erfolg in Österreich fünf Jahre lang ununterbrochen in Wien zu residieren, eine erste Abweichung vom Prinzip der königlichen Reiseherrschaft. Das Krongut in Südwestdeutschland und im Mittelrhein-Maingebiet organisierte er in neuartigen Verwaltungseinheiten (sog. Reichslandvogteien). Dieses Verfassungsexperiment sollte mittelfristig scheitern. Nördlich von Köln hielt er sich nie auf, dort wurde er durch sog. Reichsverweser vertreten. Mit König Rudolf geht die Phase der faktischen Herrschaft über Burgund zu Ende – der Habsburger erzwang noch ein letztes Mal die Lehnshuldigung durch den burgundischen Pfalzgrafen.

Mit dem Grafen Adolf von Nassau (1292–1298) wählten die Kurfürsten einen gänzlich autoritätslosen Mann zu Rudolfs Nachfolger, der sich überdies zur Erlangung der Wahl erhebliche finanzielle Verpflichtungen auflud. Es ist bezeichnend, daß auch Adolf bald versuchte, sich einen größeren und ertragreichen Herrschaftskomplex zuzulegen: Für ca. 12 000 Mark Silber kaufte er die Landgrafschaft Thüringen (wohl samt Meißen). Sofort regte sich Widerstand: Die Zeitgenossen zeigten sich empört darüber, daß der König hierauf Geldleistungen verwendete, die er vom König von England empfangen hatte. Die Opposition in Thüringen, vor allem aber die Gegnerschaft mit den Kurfürsten führte dazu, daß Adolf 1298 in einem pseudogerichtlichen Verfahren unter der Leitung des Mainzer Erzbischofs für abgesetzt erklärt wurde. Er unterlag und starb in der Schlacht von Göllheim. Gegen ihn hatte man den zunächst unpopulären, jedoch militärisch erfolgreichen Sohn Rudolfs von Habsburg aufgebaut: Albrecht I. (1298–1308). Durch den Schlachtentod seines Gegners und Vorgängers hatte dieser zunächst mit einem erheblichen Legitimitätsdefizit zu kämpfen, richteten sich doch selbst seine Verbündeten von Göllheim schon bald gegen ihn. Vor allem Papst Bonifaz VIII. sah in dem zweiten Habsburger auf dem Thron zunächst einen Königsmörder. Albrecht mußte einen demütigenden Gehorsamseid leisten und war gehalten, Gebiete

Reichsitaliens an den Kirchenstaat abzutreten. Im Reich verdächtigte man ihn, die Anerkennung durch den französischen König mit der Abtretung der linksrheinischen Gebiete bezahlen zu wollen. Auch ihm hat man in der Forschung unterstellt, daß es ihm über die territoriale Herrschaft in Österreich hinaus um die Schaffung eines kompakten Territorienkomplexes von West nach Ost gegangen sei, um eine «Landbrücke» von Schwaben über Franken nach Thüringen. Sein Versuch, das Ende der Premyslidenherrschaft zur Erlangung der böhmischen Königskrone durch seine Dynastie zu nutzen, scheiterte.

Nach der Ermordung Albrechts durch seinen Neffen (1308) gelang dies seinem Nachfolger im Reich, König Heinrich VII. (1308–1313), einem gleichfalls unscheinbaren Grafen von Luxemburg. Indem er seinen noch minderjährigen Sohn Johann mit der Premyslidin Elisabeth verheiratete, schuf er die Voraussetzungen für die Entstehung der zweiten deutschen Großdynastie des Spätmittelalters nach den Habsburgern, die der Luxemburger in Böhmen. Zwar überforderte Heinrich VII. mit seinem drei Jahre währenden Italienzug (1310–1313) seine Machtmittel erheblich (schon allein den Widerstand der Stadt Florenz zu brechen, gelang ihm nicht), doch wurde er immerhin zum König von Italien und schließlich auch von päpstlichen Legaten zum Kaiser gekrönt. Heinrich überlebte seinen Italienzug nicht.

1314 kam es zu einer habsburgisch-wittelsbachischen Doppelwahl von Friedrich «dem Schönen» und Herzog Ludwig von Oberbayern, den man im Umkreis der Päpste in Avignon abschätzig als «den Bayern» bezeichnete. Mit dem Königtum des Wittelsbachers war die Trias der Großdynasten im Reich vollständig. Zwar unterlag Friedrich nach acht entscheidungslosen Jahren in der Schlacht von Mühldorf (1322) dem ihm gut vertrauten und überdies verwandten Ludwig, so daß er lange Zeit in wittelsbachischer Haft verbringen mußte. Die beiden Konkurrenten erkannten sich jedoch 1325 gegenseitig an. Für einige Zeit gab es nominell zwei legitime Könige, die nicht Vater und Sohn waren – ein Kuriosum, das folgenlos bleiben sollte. Bis zu seinem frühen Tod 1330 ordnete sich Friedrich Ludwig dem Bayern gänzlich unter.

Mit Ludwig begann ein zweites Experiment in der Verfassungsgeschichte des späten Mittelalters. Hatten die «kleinen» Könige zuvor versucht, durch die Nutzung des Kronguts das Reich zu beherrschen, so förderte der Bayer gezielt seine eigenen, ihm und seiner Dynastie verbundenen Landschaften. Man spricht daher von «Hausmachtkönigtum», wenn man seine und seines Nachfolgers Politik charakterisieren will. Nicht mehr das Reichsgut, sondern ihre Landesherrschaft wird für diese Könige zur Mitte ihrer politischen Existenz. Ludwig engagierte sich in diesem Sinne für die Kodifikation des oberbayerischen Landrechts und betrieb in Bayern eine gezielte Landfriedens- und Städtepolitik. Insbesondere förderte er seine Residenzstadt München. Ähnlich wie seine habsburgischen und luxemburgischen Konkurrenten suchte er seine Herrschaft räumlich zu erweitern, bestenfalls zu einem Gesamtkomplex zu arrondieren. So belehnte er 1323 seinen Sohn mit der ans Reich gefallenen Mark Brandenburg (eine Anbindung, die langfristig scheitern sollte), betrieb nach dem Ende der niederbayerischen Wittelsbacher die abermalige Vereinigung der bayerischen Lande in seiner Hand und erwarb gar die Grafschaften in Holland, Seeland, Friesland und Hennegau. Die erneute Zusammenführung der wittelsbachischen Herrschaften in Bayern und in der Pfalz gelang ihm nicht; an Rhein und Donau blieben zwei voneinander geschiedene Territorien bestehen. Auch der für ihn so attraktive Erwerb des Herzogtums Tirol in der Eheaffäre der Herzogin Margarete Maultasch (1342) sollte nicht von Dauer sein – dieses Herzogtum fiel 1363 an die Habsburger. Die Vereinigung weit auseinander gelegener Territorien zu großflächigen Territorienkomplexen, das heißt die Schaffung von «Landbrücken» vom angestammten Hausgut zu den neu erworbenen Herrschaften, gelang nur den Habsburgern.

Dennoch hinterließ Ludwigs Herrschaft nicht nur in Bayern Spuren. Da Papst Johannes XXII. (1316–1334) die Wahlen von 1314 nicht anerkannte, eskalierten bald die Auseinandersetzungen des Bayern mit der Kurie bis zu einer Schärfe, wie sie seit der Stauferzeit nicht mehr dagewesen war. An der Kurie strengte man einen Prozeß wegen Amtsanmaßung gegen den König an, der hiergegen mehrfach protestierte. Johannes exkommunizierte ihn und verhängte sogar das Interdikt über die Orte, an denen sich Ludwig mit den Seinen aufhielt. Ludwig, der in seinem Umkreis antikuriale Gelehrte wie Marsilius von Padua oder Wilhelm von Ockham duldete, betrieb die Einberufung eines Konzils gegen den Papst, zog nach Rom, ließ sich zum König Italiens, schließlich sogar von Vertretern der Stadt Rom zum Kaiser krönen (1328). Noch ein letztes Mal betrieb daraufhin ein Kaiser ein Absetzungsverfahren gegen einen Papst und die Einsetzung eines ihm willfährigen Nachfolgers. Daß dieser Franziskaner war, hatte seine guten Gründe: Im sog. «theoretischen Armutsstreit», das heißt der innerkirchlichen Auseinandersetzung um die Eigentumslosigkeit Christi und der Apostel, war der Orden in einen Konflikt mit Johannes XXII. geraten, der ihn zu spalten drohte.

Jene Konflikte, der aus dem hohen Mittelalter ererbte Disput um das Verhältnis von Papsttum und Kaisertum und der innerkirchliche um päpstlichen Zentralismus und apostolische Armut, führten zu beachtlichen Synergieeffekten. So wurden etwa die Argumente der kaiserlichen Partei in der Auseinandersetzung mit der Kurie auf einem neuen, wissenschaftlich inspirierten Abstraktionsniveau formuliert. Auch Fragen nach der Verfassung des Reiches konnten so neu und mit dem Anspruch grundsätzlicher Klärung traktiert werden. Bei einer Begegnung in Rhense 1338 erklärten sechs von sieben Kurfürsten, daß im Reich nach altem Recht die Mehrheit der Kurfürsten, nicht aber die päpstliche Bestätigung den legitimen König mache. Damit (und in Ludwigs darauf aufbauendem Weistum «Licet iuris») wurde das Approbationsrecht, das die Päpste für sich in Anspruch nahmen, auf den Rang einer zeremoniellen Handlung ohne konstitutive Bedeutung reduziert.

Zum Zeitpunkt dieser imposanten, weil selbstbewußten Stellungnahmen zu seinen Gunsten begann dem Bayern jedoch die Konkurrenz der Luxemburger gefährlich zu werden. Ludwig wurde unglaubwürdig, als er in der Vor- und Frühphase des Hundertjährigen Krieges (1338–1452) zwischen England und Frankreich lavierte, und er zog sich mit seinem Verhalten in der

Tiroler Eheaffäre um die Herzogin Margarete Maultasch endgültig die Feindschaft König Johanns von Böhmen und dessen Sohnes Karl zu. Der neue Papst Clemens VI. forderte die Fürsten 1343 erneut zur Wahl eines anderen Königs auf und verfluchte den Bayern abermals. Im Juli 1346 war es soweit: Der Luxemburger Karl, der dem französischen König und dem neuen Papst gleichermaßen nahestand, wurde als Karl IV. (1346–1378) gegen Ludwig zum König geweiht. Im Jahr darauf starb der Wittelsbacher.

Karls IV. Hausmachtkönigtum stellte dasjenige seines Vorgängers in den Schatten. Die luxemburgischen Erblande im Osten des Reichs wuchsen zu imposanter Größe heran, denn der «Krone Böhmens» wurden neben der mährischen Markgrafschaft auch die 13 schlesischen Herzogtümer, die Ober- und die Niederlausitz angegliedert. Im Westen bildete die spätere Oberpfalz die Basis für eine «Landbrücke» von den böhmischen Landen zur Reichsstadt Nürnberg; dieses «Neuböhmen» genannte Gebilde existierte nur vorübergehend. 1373 erreichte Karl, daß die Wittelsbacher die Mark Brandenburg abtraten. Charakterisiert man Karls Herrschaft in der Forschung als hegemoniales Königtum, dann meint man damit, daß sich dieser Besitz zu einem überdimensionalen und geschlossenen, dabei stets auf weitere Ausdehnung bedachten Territorien*komplex* fügte, der als Hausmacht die Grundlage für die Herrschaft im Reich bildete. Nach den Versuchen der Könige um 1300, mit staufischen Herrschaftstechniken im Konzert mit den großen Reichsfürsten zu bestehen, bedeutete dies das zweite Verfassungsexperiment des späten Mittelalters: eine Art Dualismus zwischen der dynastischen Hausmacht des Königs und der Herrschaft über das Reich. Karl verlieh dieser Praxis auch in den Repräsentationen seiner Herrschaft Ausdruck, indem er sich *Romanorum et Bohemie rex* nannte. Sein Kaisersiegel enthielt den Adlerschild des römischen Königs und das böhmische Wappen zugleich. Dieser doppelten Verortung entsprach, daß Karl neben einer weit ausgreifenden Reiseherrschaft, die sogar die königsfernen Regionen des Nordens mit einschloß, zugleich eine Residenzenherrschaft praktizierte. Zu diesem Zweck engagierte er sich besonders für die Aufwertung seiner Stadt Prag, betrieb die Erhebung zum Erzbistum (1344), die Gründung der ersten Universität im nordalpinen Reich (1348, s. S. 111) und der Prager Neustadt. Die Aktivitäten des Handels suchte er auf die Achse Prag–Nürnberg–Frankfurt und auf eine Süd-Nord-Achse von der Adria über die Moldau an die Ostsee zu leiten.

Karls Autorität im Reich war erheblich größer als die seiner Vorgänger während der letzten hundert Jahre, wenngleich er zunächst abschätzig als «Pfaffenkönig» bezeichnet wurde. Er hatte lange Jahre seiner Jugend am französischen Königshof verbracht, war intellektuell rege und sprachbegabt. Nach dem Tod des Bayern gelang es der wittelsbachischen Partei zunächst, mit dem Grafen Günter von Schwarzburg einen Gegenkönig zu stellen, der allerdings ein kranker Mann war und schon bald aufgab. Auf einem ersten Italienzug erlangte der Luxemburger die italienische Königs- sowie die Kaiserkrönung (1355), zehn Jahre später sogar die Krönung im burgundischen Königreich (dem sog. Arelat). Indem er die Stimmen der Wähler regelrecht kaufte, gelang ihm, was zuletzt Staufern gelungen war: 1376 wählten die Kurfürsten noch zu seinen Lebzeiten seinen Sohn Wenzel zu seinem Nachfolger. Zur Finanzierung seiner Herrschaft schlug er Wege ein, unter denen seine Nachfolger zu leiden hatten: In Ermangelung anderer Einnahmequellen betrieb er eine fatale Politik der Verpfändung von Reichsgut. Seine Landfriedenspolitik scheiterte, was in der Gründung des Schwäbischen Städtebundes im Juli 1376 zum Ausdruck kam – zu häufig hatte der Kaiser Donauwörth verpfändet, nun wehrten sich die Reichsstädte des Südwestens. Auch die Schaffung eines Landrechts für die böhmischen Territorien, die sog. *Maiestas Carolina*, scheiterte 1355 am Widerstand des lokalen Adels. Die deutlichste Spur in der Geschichte des Reichs hinterließ Karl jedoch mit der Verkündung der Goldenen Bulle auf zwei Hoftagen 1356 – einem Fundamentalgesetz des Reichs, das im Ausgleich zwischen königlichen und kurfürstlichen Interessen insbesondere die Modalitäten der Königswahl und die Rechte der Kurfürsten regelte. Die Goldene Bulle, von ihrem Urheber selbst als «Rechtbuch» bezeichnet, sollte seit dem

15. Jahrhundert als Reichsgrundgesetz anerkannt sein und bis zum Ende des Alten Reiches 1806 Gültigkeit besitzen.

Schon vor Karls Tod am 29. November 1378 hatte sich die Situation in Europa gravierend verändert. Nach dem Tod Papst Gregors XI., der gerade erst aus Avignon nach Rom zurückgekehrt war, wählten die Kardinäle zwei Nachfolger: im April 1378 den fortan in Rom residierenden Urban VI. und im September Clemens VII., der seinen Sitz abermals nach Avignon verlegte. Damit war das Große Abendländische Schisma ausgebrochen. Bis zu seinem Ende 1417 gab es zwei, bisweilen sogar drei Päpste mit weitgespannten politischen Gefolgschaften. Die französische Krone hielt zu dem Papst in Avignon; spätestens seit der «clementistische» Herzog Leopold von Österreich 1386 bei Sempach gegen die Schweizer Eidgenossen gefallen war, standen dagegen die Fürsten im Reich größtenteils hinter Urban und seinen «römischen» Nachfolgern. Schon bald wurde der Streit um das Schisma von patriotischen, antifranzösischen bzw. antideutschen Tönen begleitet.

Wenzel erwies sich als unfähig, mit den Mitteln des hegemonialen Königtums den Frieden im Reich zu gewährleisten. In Konkurrenz zu den auf Intensivierung ihrer Landesherrschaft bedachten Fürsten vereinigten sich die Reichsstädte bzw. die bestehenden Städtebünde miteinander. 1388/89 kam es in Süddeutschland zum ersten Städtekrieg. Acht Jahre lang war der gebildete und feinsinnige, jedoch kranke Monarch nicht in der Lage, den Kernraum des Reichs zu betreten. In seinem eigenen Territorium wurde ihm schließlich selbst die Nutzung der Krondomänen verwehrt, eine Adelspartei nahm ihn 1394 gar für einige Wochen gefangen. Im Sommer 1400 schritten die Kurfürsten zur Tat: In einem pseudogerichtlichen Verfahren setzten sie Wenzel ab: Der Luxemburger blieb bis zu seinem Tod (1419) nur noch König von Böhmen. Das Verfassungsexperiment des hegemonialen Königtums war gescheitert.

3. Die Gesellschaft des späten Mittelalters

a) Ein Zeitalter der Krise?

Lange Zeit hat man das späte Mittelalter deshalb in so düsteren Farben gemalt, weil man es an idealisierten Zuständen davor und danach maß – aus nationalistischer Perspektive an der glorifizierten Stauferzeit, unter protestantischem Blickwinkel an der Reformation. In der Tat gibt es Anzeichen dafür, daß die Rahmenbedingungen menschlichen Wirtschaftens und Zusammenlebens gegenüber dem hohen Mittelalter schwieriger geworden waren. Schon den Zeitgenossen schien Europa um das Jahr 1300 mit seinen ungefähr 70 Millionen Einwohnern überbevölkert zu sein; 15 Millionen davon dürften in den deutschen Landen gelebt haben. Eine der schwersten Hungerkrisen, die der Kontinent je erlebt hat, leitete in den Jahren 1315–1317 eine demographische Stagnationsphase ein. In den Jahren 1348–1350 reduzierte dann die seit der Spätantike verschwundene Pest die Bevölkerungszahl schlagartig (in den Städten um ca. 30 Prozent), wenngleich nicht dauerhaft: Schon im folgenden Jahrhundert scheint das alte Niveau wieder erreicht worden zu sein. Andere Infektionskrankheiten (z. B. vor 1500 die Syphilis) traten auf – das späte Mittelalter gilt als «die ungesündeste Epoche in der mitteleuropäischen Geschichte» (E. Schubert). Da die Durchschnittstemperatur bis 1600 gegenüber dem Hochmittelalter um ca. 1,5 Grad sank, ging die Höhengrenze der bebauten Flächen um mehr als 160 Meter zurück. Die Nordsee fraß bis zum 16. Jahrhundert etwa 10 000 Quadratkilometer Land, 1362 machte eine Flut Sylt und Föhr zu Inseln. Nachhaltig wurde das ökologische System durch den enormen Holzbedarf in Stadt und Dorf verändert. Stein- und Braunkohle waren zwar bekannt, spielten aber für die Deckung des Energiebedarfs keine wesentliche Rolle, ja galten wegen ihres hohen Schwefelgehalts als gefährlich. Zwar sollten Rodungsverbote und Waldordnungen dem Kahlschlag Einhalt gebieten, doch aufmerksame Menschen beobachteten die ökologischen Veränderungen, die mit dem Rückgang der Wälder verbunden waren: Gießbäche und Flüsse seien früher nicht so groß gewesen, schreibt ein Dominikaner um 1300, da das Wurzelwerk der Bäume die Feuchtigkeit länger in den Bergen zurückgehalten habe. Am Bodensee registrierte man das Verschwinden bestimmter Vogelarten. Ebenso wie die Waldnutzung mußte man auch den Fischfang regulieren, um künftige Bestände zu sichern.

Auf die Hungerkatastrophe von 1315–1317 folgten in den 1340ern und in der zweiten Hälfte der 1360er weitere angespannte Jahre. Kriegs- und Fehdeführung beruhten nach wie vor auf der Strategie, die wirtschaftlichen Ressourcen des Feindes zu vernichten, also Felder und Siedlungen abzubrennen, Menschen und Vieh zu töten. Daß solche Konflikte jetzt von bezahlten Söldnern und weniger von Vasallenheeren geführt wurden, verschärfte die Situation. Manche Katastrophen schienen Zeichen des bevorstehenden Weltendes zu sein: die Heuschrekkenschwärme, die 1338 und 1362 über Mitteleuropa hinweggingen, das Erdbeben von 1348 im Südosten des Reiches. Es ist bemerkenswert, daß die größte Katastrophe, die Große Pest in den Jahren 1348–1350, schon aus geringer zeitlicher Distanz nicht mehr als Endzeitphänomen verstanden wurde. Die Pest kam fortan in unregelmäßigen Abständen wieder, und die Menschen nahmen sie entweder als vorübergehende Strafe Gottes für die Sündhaftigkeit der Welt hin oder suchten nach rationalen (und pseudorationalen) Erklärungen. Die absurdeste dieser Erklärungen besagte, daß die Juden die Krankheit durch die Vergiftung von Brunnen und Quellen herbeigeführt hätten. Schon mehrmals war es seit 1298 zu blutigen Verfolgungswellen gekommen, doch die Judenpogrome der Jahre 1348–1351 waren ohne Beispiel: Mindestens 400 Judengemeinden im Reich waren von ihnen betroffen. Dabei handelte es sich keineswegs um Spontanaktionen des Pöbels, im Gegenteil: Inszeniert wurden sie häufig von den Schuldnern der jüdischen Geldverleiher und von den Obrigkeiten, die selbst in die Rolle des Gläubigers schlüpfen wollten. Sorgfältig beriet der Straßburger Bischof mit den elsässischen Herren und Städten die «Abschaffung der Juden», auch König Karl IV. gab in dieser massivsten Verfolgungswelle vor dem 20. Jahrhundert eine klägliche Figur ab. Prägend für die folgenden Jahrzehnte sollten lokale Judenvertreibungen bleiben, nicht der weiträumige Massenmord; die Mythen von der Brunnenvergiftung und dem Ritualmord waren langlebiger, in der Neuzeit bestanden sie nicht zuletzt wegen der antijüdischen Polemik Martin Luthers fort.

Die Theorie von einer «Krise des Spätmittelalters» war für Deutschland insbesondere auf agrargeschichtliche Veränderungen im Zeitalter der Pest gegründet worden (W. Abel). An ihr ist in den vergangenen Jahren viel Kritik geübt worden: Daß im Spätmittelalter so viele Ansiedlungen aufgegeben wurden (sog. Wüstungen), sei wenigstens teilweise auf ganz normale wirtschaftliche Konzentrations- und Intensivierungsprozesse zurückzuführen; die Schere, die sich vorübergehend zwischen den niedrigen Preisen für agrarische und den hohen für gewerbliche Produkte bzw. Löhne auftat, habe sich keineswegs gravierend auf die Gesamtwirtschaft ausgewirkt; Ursache für den Anstieg der Preise mochte die qualitative Verbesserung der Ware sein; Grund für den steigenden gewerblichen Lohn sei die Umstellung vormals üblicher Naturalleistungen auf reine Geldleistung gewesen. Die «goldene Zeit des (gewerblichen) Lohnarbeiters» (W. Abel) nennt das Spätmittelalter heute niemand mehr, zu deutlich sind die Anzeichen für das Elend auch des städtischen Lohnarbeiterproletariats (U. Dirlmeier).

Es ist dennoch völlig angemessen, von einer Krise der spätmittelalterlichen Gesellschaft zu sprechen, ja «das Epochengefühl des Spätmittelalters war wohl weitgehend ein Krisenbewußtsein» (F. Graus). Dies hängt mit den tiefgreifenden sozialen Umschichtungen zusammen, die durch die Pest angestoßen wurden. Das große Sterben weckte die Bereitschaft der Überlebenden, ihre gewohnte Umgebung zu verlassen und sich an neuen Orten neu zu vergemeinschaften. In schwierigen und konfliktreichen Prozessen kam es im Zuge dieses Mobilitätsschubes zu einer Vielzahl neuer institutioneller Absicherungen der sozialen Welt – angefangen von den Versuchen, Ortsbindung, Preise und Konsumverhalten gesetzlich zu regeln, bis zu einer neuen Ordnungswut im Umgang mit den Armen, den Handwerksgesellen, mit Luxus, Prostitution und alltäglicher Gewalt. In einer solchen Situation aber entfalteten diejenigen «dialogischen»

Spannungen und Gegensätze, die im Hochmittelalter entstanden waren (s. Kap. III.3), eine neue Brisanz.

Konstitutiv für die Mentalitäten in Stadt und Land war, daß die Sorge für das Seelenheil der Menschen von der mittlerweile gänzlich auf Rom zentrierten Klerikerkirche monopolisiert wurde. Doch waren die Laien niemals bereit, diesen Anspruch gänzlich zu akzeptieren. Freilich wurde selten Fundamentalkritik an diesem Zustand geübt; wo dies doch der Fall war wie bei den Hussiten seit ca. 1420, verstörte solche Kritik die Menschen und schuf eine Endzeit-Atmosphäre, wie sie nicht einmal während der Pest geherrscht hatte. Wichtiger aber ist, daß in der allgegenwärtigen Kritik an Papst, Prälaten und Priestern implizit die Vorstellung von einer ständeübergreifenden, metaphysisch begründbaren Gleichheit der Menschen zum Ausdruck kam und daß diese Sicht in die sozialen Utopien aufgenommen wurde. Der Tod imponierte den Menschen des 15. Jahrhunderts, weil er – im Unterschied zu monarchischen Päpsten und geheiligten Majestäten – die Menschen tatsächlich gleich behandelt. In populären Totentänzen inszenierte man diese Anschauung.

Als prägend für die Mentalitäten sollte sich auch der Widerspruch zwischen dem Überherrschungsanspruch der landesherrlichen bzw. städtischen Obrigkeiten und dem Ideal der Selbstregulierung in Gilden und Gemeinden auswirken. Freilich darf man hinter den ca. 60 bäuerlichen und etwa 200 städtischen Unruhen des späten Mittelalters keine demokratischen Freiheitsbewegungen sehen. Doch ist bezeichnend, daß solche Aufstände, die zunächst begrenzte Partizipationskonflikte um die politische Herrschaft oder Revolten gegen drückende Abgaben waren, zunehmend überregional organisiert wurden und immer entschiedener die ständische Kluft zwischen Bürgern und Bauern übersprangen. Unter den Bedingungen der Reformation kommt daher im Bauernkrieg von 1525 der Zusammenhang zwischen dem vertraglich geregelten Kollektivhandeln «mittelalterlicher» Gruppenkultur und «neuzeitlichem» politischem Veränderungswillen zum Ausdruck. Aufgelöst wurde dieser Widerspruch freilich auch dann nicht: Der Kritik an der weltlichen Obrigkeit, daß sie die von ihr propagierten Normen des geregelten Zusammenlebens ja selbst nicht einzulösen vermöge, begegneten städtische Magistrate und Landesherren mit der zunehmenden Verrechtlichung des Zusammenlebens, mit dem Aufbau eines großen Personalstabes zur Erzwingung der Normeinhaltung und mit der ostentativen Sorge um die «gute Policey» im Gemeinwesen. Umgekehrt aber bestärkten diese Anläufe zu umfassender Sozialdisziplinierung die Untertanen in ihrem Vorhaben, ihre Lebenswelt nach eigenen Maßstäben sinnhaft zu ordnen. Eine reiche Gruppenkultur und Vorstellungen von «Kommunalismus» (P. Blickle) standen als Anknüpfungspunkte parat.

b) Herren und Genossen: Gruppenkultur in Stadt und Land

Etwa jeder Fünfte dürfte im späten Mittelalter in einer Stadt gewohnt haben – im Westen und Süden des Reichs mehr, im Osten und Norden weniger. Die Gründungswelle des hohen Mittelalters (s. S. 53) brach mit dem Ende der Stauferära nicht ab: Bis 1300 scheinen pro Jahrzehnt 300 Städte neu gegründet worden zu sein, erst danach ging die Zahl langsam, aber sicher zurück. Für den Ausgang des Mittelalters hat man von ca. 4000 Städten im Reich auszugehen. Die verkehrstechnisch und handelsstrategisch günstigsten Plätze waren freilich schon besetzt, so daß die Neugründungen von Anfang an nicht vielversprechend erschienen. Bei den neuen Siedlungen handelte es sich größtenteils um Klein-, schließlich sogar um sog. Minderstädte – um Orte, die kaum von Dörfern zu unterscheiden waren und allenfalls in ihrer unmittelbaren Umgebung als Zentralorte fungierten. Die Großstädte des späten Mittelalters, also Städte mit mehr als 10 000 Einwohnern, waren fast durchweg alte Städte: an ihrer Spitze Köln, mit einigem Abstand gefolgt von Metz und Straßburg, Nürnberg und Augsburg, Wien und Prag, Lübeck, Magdeburg und dem «newcomer» Danzig. Als Mittelstädte bezeichnet man Siedlungen mit einer Einwohnerzahl zwischen 2000 und 5000; ihrer gab es etwa 200, also machten sie 5 Prozent der Städte aus. Von Kleinstädten spricht man schon, wenn eine Stadt die 200-Einwohner-Marke überschritt; noch kleinere Siedlungen nennt man Minder- oder Zwergstädte.

Auch wenn die Gründung von Klein- und Minderstädten dominierte, gilt das Spätmittelalter doch als «die Zeit der größten politischen und wirtschaftlichen Selbständigkeit des Stadtbürgertums» (E. Isenmann). Die besondere Rolle der Stadt, ihre Attraktivität für Städter wie für Landbewohner, lag in den Stärken des städtischen Rechts begründet. Dieses schloß schon Jahrhunderte vor der Kriminalisierung der Fehde auf dem Wormser Reichstag von 1495 die gewaltsame Selbsthilfe zugunsten des Rechtsweges aus. Auch griff es sachlich immer weiter aus, indem es Fragen der städtischen Verfassung und Verwaltung regelte (das Verhältnis zum Stadtherrn, die Kompetenzen der städtischen Organe, die Rechte und Pflichten der Gemeinde), das wirtschaftliche Leben reglementierte, in Familien- und Erbsachen entschied und straf- und prozeßrechtliche Verfügungen traf. Dabei schuf sich keineswegs jede Stadt ihr eigenes Recht – Stadtrechte wurden meist komplett «importiert», so daß vor allem im Neusiedelland regelrechte Stadtrechtsfamilien entstanden.

Wie schon seit 1196 im Norden gingen nun auch im Süden des Reichs Kommunen wie Überlingen (1251), Ulm (1255) oder Lindau (1264) zur Einführung einer Ratsverfassung über – die staufische Städtepolitik hatte dies bislang verhindert. Die etwa hundert zum staufischen Königsgut gehörenden Städte (größtenteils im Süden) prägten ab ca. 1300 eine Identität als *Reichsstädte* aus; im Westen gelang es einer Reihe von Bischofsstädten, sich ihres geistlichen Stadtherrn zu entledigen und bis zum Ausgang des Mittelalters den besonders günstigen Status einer *Freien Stadt* zu erreichen (so Köln, Mainz, Worms, Speyer und Straßburg). Dies sollte den jüngeren Kommunen im Osten nicht gelingen. Bei den meisten Orten handelte es sich jedoch um *Territorialstädte*, die entweder direkt oder indirekt dem Fürsten unterstanden (Immediat- bzw. Mediatstädte). Von ihm konnte man sich entweder emanzipieren, indem man ihm die Präsenz in der Stadt verweigerte und Krieg gegen ihn führte, oder aber indem man sich seine Geldnot zunutze machte und ihm seine Herrschaftsrechte schlicht abkaufte. In der Phase zwischen dem Ende der kommunefeindlichen staufischen Politik und der Intensivierung fürstlicher Herrschaft zu Beginn der frühen Neuzeit boten sich den Stadtbürgern die größten Chancen, die Geschicke ihres Gemeinwesens selbst zu bestimmen. Zwar bestanden Organe der stadtherrlichen Rechtsprechung und Verwaltung weiter, doch gelang es den Bürgergemeinden, durch die Schaffung von Ämtern, Gerichten und einer funktionierenden Infrastruktur die Hauptverantwortung für das soziale Leben in der Stadt zu übernehmen. Nicht wenige von ihnen erwarben ihrerseits einen ansehnlichen territorialen Besitz, schlüpften also in die Rolle des Landesherrn und sicherten ihre ökonomische Dominanz politisch ab. Neue, repräsentative Bauten entstanden und gaben den Städten die Gestalt, die sie bis zur Schwelle der Moderne und der Industrialisierung beibehielten: Bereits im Vorfeld geschützt von Landwehren aus Verhauen, Gräben, Hecken und Türmen, waren sie meist von getürmten Mauern umgeben; in ihrem Inneren entstanden Rat- und Kaufhäuser, Vorratslager, Märkte, Straßen, Gassen und Brunnen. Der Brandgefahr war der Übergang vom Holz- zum Steinbau geschuldet; so verpflichtete z.B. der Lübecker Rat nach dem dritten großen Stadtbrand 1276 die Bewohner auf die solidere Bauweise. In den neugegründeten Städten läßt der Straßenverlauf, wie in Stralsund, ein rationales Muster erkennen.

Städte hoben sich von Dörfern durch ihre andersartige Kommunikationsstruktur ab, die sich aus der Vielzahl der dort lebenden sozialen Gruppen, mithin der Vielgestaltigkeit sozialer Bezüge, ergaben. Sie waren Zentren des Waren-, Leistungs- und Informationsaustauschs, des christlichen Kultes und der Bildung, der Administration und der Rechtsprechung. Allerdings schöpften sie auch die Ressourcen ihrer Umgebung im weiten Radius ab und zeigten sich auf die beständige Zufuhr von Getreide, Fleisch und Holz angewiesen. Wesentlicher Bestandteil des Bürgerstolzes war es dennoch, kultivierter zu sein als die Bauern der Umgebung. Nach wie vor waren Städte für die Bauern nicht nur als Absatzmärkte für Agrarprodukte attraktiv, sondern auch für dauerhaften Zuzug. Da die Sterberate die Zahl der Geburten überschritt, war man auf Migration vom Land angewiesen; gerade in städtischer Nähe waren daher viele Dörfer verlassen. Auch in ihrem Inneren waren die Städte keine

Horte der Gleichheit: Die Stadt*gemeinde* umfaßte nur die Gruppe der vollberechtigten Bürger, die unterbürgerlichen Einwohner waren politisch minderberechtigt. Nachdem man nach der ersten Pestwelle von 1348–1350 noch stärker als zuvor der Ergänzung durch Neubürger bedurfte, erleichterte man vorübergehend die Erlangung des Bürgerrechts.

Man könnte annehmen, daß die Gilden der Handwerker Schleusen der Integration waren, doch auch sie verhielten sich den «Neuen» gegenüber reserviert. Obwohl sie älter als die Ratsgremien waren, mußte ihre Einbeziehung in die städtischen Verfassungen mühsam erkämpft werden – dies war einer der Hintergründe für die Vielzahl städtischer Unruhen, die die Zeit seit 1300 prägen sollten (s. S. 100). Zum Regieren der Kommune fühlten sich die Angehörigen der Oberschicht bestellt, die freien Kaufleute und die unfreien Ministerialen des Stadtherren. Diese beiden Stände konnten zum Stadtadel verschmelzen. Es war Angehörigen dieser Oberschicht möglich, die Ritterweihe zu erlangen, das heißt lehnsfähig zu werden und im Territorium wichtige Ämter auszufüllen, Burgen und Landsitze zu erwerben. Umgekehrt mochten sich Landadelige in den Städten Häuser zulegen. In Frankfurt am Main stellte die Oberschicht weniger als ein Prozent der Bevölkerung; zum ratsfähigen Patriziat (oder Meliorat) gehörten nicht einmal alle seine Angehörigen. Die durch Handwerk und Handel (mittlere und kleinere Kaufleute) besser Gestellten machten die Mittelschicht aus, doch 60 bis 85 Prozent der Bevölkerung rechnet man den Unterschichten zu. Will man darauf hinweisen, daß es unterhalb der unselbständigen Arbeiter, Tagelöhner etc. noch weniger angesehene Sozialkategorien gab, dann spricht man von Außenseitern und Randständigen. Man bezeichnet damit Menschen, die als unehrbar geltende Tätigkeiten ausübten (Henker, Abdecker), deren Lebenswandel als unmoralisch angesehen wurde (sexuell Deviante, Vaganten) sowie Aussätzige und geistig Behinderte. Einen Sonderstatus nahmen die städtischen Judengemeinden ein. Für sie brachte das späte Mittelalter eine Phase der Ghettoisierung in ummauerten Judengassen und -vierteln, der Verfolgung und Vertreibung (s. S. 98 f.). Das Judenviertel von Würzburg wich 1349 der Neuanlage eines Marktplatzes, eine neugegründete Universität wie die in Heidelberg profitierte vom konfiszierten Besitz der Vertriebenen.

Charakteristisch gerade für die Städte des späten Mittelalters war die Tendenz ihrer Bewohner (zumal der Bürger), sich zu sozialen Gruppen zusammenzufinden und auch jenseits ihrer Familien und Verwandtschaftsverbände ein intensives Leben in Gemeinschaften zu pflegen. Vor allem seit der Großen Pest scheint die Zahl solcher stabil verfaßten Gruppen erheblich zugenommen zu haben: Man gehörte zu einer Kaufmannsgilde oder einer Handwerkerzunft, die Handwerksgesellen vereinten sich zu eigenen Verbänden, die Mittellosen zu Elendengilden, der Adel zu (in der Stadt beheimateten) Adelsgesellschaften, man war «Schütze» oder «Meistersinger», gehörte zu einer Marien- oder Rosenkranzbruderschaft, zu Trinkstuben, Nachbarschaften, «Gassen» und Quartieren. Wer zu Anfang des 15. Jahrhunderts in Braunschweig einer städtischen Prozession beiwohnte, konnte allein zwanzig gewerbliche Gruppen identifizieren; ihre Abfolge, die Qualität ihrer Kleidung und die Art der Zeichen gab Anhaltspunkte, mit welchem sozialen Prestige jede dieser Gruppen ausgestattet war. Die gewerblich definierten Gruppen der Handwerker und Kaufleute mochten durch das Prinzip der Zwangsmitgliedschaft längst zu «privilegierten Korporationen» (O. v. Gierke) geworden sein – doch standen alle diese Gebilde in der Tradition der okzidentalen Gruppenkultur und beruhten auf den Prinzipien umfassender wechselseitiger Fürsorge und prinzipieller Gleichheit ihrer Angehörigen. So gesehen nahm sich die städtische Kommune, selbst eine Sonderform der «geschworenen Einung» (s. S. 57), im späten Mittelalter wie ein Cluster aus sozialen Gruppen aus. Der Geist, der die Bewohner einer Stadt zur autonomen und autokephalen Bürgergemeinde zusammengeführt hatte, regierte auch diese innerstädtischen Gemeinschaften.

Neben dieser Tendenz zur sozial differenzierenden Gruppenbildung wirkte eine prinzipell entgegengesetzte, die Gemeinde politisch nivellierende Neigung zur Verobrigkeitlichung, die vom Rat ausging. Dadurch, daß die Führungsgremien der Stadt

Herrschaftsrechte für sich in Anspruch nahmen, wurde das Verhältnis der Bürgergemeinde zum Ratskollegium dauerhaft verändert: Der städtische Rat, zunächst ein genossenschaftlich legitimiertes Repräsentativorgan der Gemeinde in der Hand der angesehensten Familien, erschien durch solche Übertragung immer stärker als der Herr über die Stadt. Charakteristisch für diesen Prozeß, der städtische «Obrigkeit» signifikant von der erstarkenden Fürstenherrschaft unterscheidet, ist der Umstand, daß der genossenschaftliche, also auf Delegation und Kontrolle beruhende Aspekt von Ratsherrschaft dabei nie ganz verschwindet. Der Rat blieb ein Zwitterwesen; er schöpfte aus seiner genossenschaftlichen und seiner herrschaftlichen Legitimität zugleich. Dies wurde bei seiner Tätigkeit als Gericht deutlich. Besonders wirkungsvoll verbreitete sich diese neue Dimension innerstädtischer Herrschaft allerdings in den Belangen der «guten Policey», das heißt der beständigen Sorge der Oberen um den «Frieden» und den «gemeinen Nutzen» ihrer Untertanen, der Gemeinde. Solcherlei «policeyliche» Maßnahmen betrafen eine Vielzahl von Angelegenheiten des Marktes, der Lohn- und Preisregulierung, der Verhinderung von Verschmutzung, der «Heimlichkeit», von sexueller Unmoral und Bettel, der Sicherheit in der nächtlichen Stadt. Prinzipiell gab es keinen Bereich, den die Räte nicht zum Wohl des städtischen Ganzen hätten reglementieren wollen. Mit alledem erwies sich die städtische gegenüber der fürstlichen Obrigkeit als Vorreiter; in den Kommunen begann, initiiert durch deren höchste Organe, die so charakteristische «Vielregiererei» der frühneuzeitlichen Staaten.

Da die Bedeutung von Weilern, Gehöften und Streusiedlungen auf dem Land weiter zurückging, wurde im späten Mittelalter das Dorf vollends zur dominierenden ländlichen Siedlungsform. Hierbei ist freilich eine Vielzahl regionaler Usancen, die Verschiedenheit der Böden und der Besitzverhältnisse zu berücksichtigen. Noch stärker als im Fall der städtischen Gemeinden hätte man für eine erschöpfende Strukturgeschichte der ländlichen Welt lokalen Besonderheiten Rechnung zu tragen. Dies gilt insbesondere für die Unterschiede zwischen den langsam gewachsenen, komplizierten Besitzverhältnissen im Altsiedelland und den von Lokatoren und Siedlergruppen relativ schnell geschaffenen Strukturen östlich von Elbe und Saale. Im Westen und Süden waren die Bauern durch die historisch gewachsene Kleinräumigkeit der Besitzstruktur stärker als im Osten gezwungen, sich Entscheidungen des Kollektivs zu beugen; Beratungen erwiesen sich zunächst als konfliktträchtig, führten aber mittelfristig zur Stärkung der genossenschaftlichen Dorfstruktur. Im Osten war das Verhältnis zwischen dem Siedlungsunternehmer (Lokator) bzw. seinem Rechtsnachfolger (dem Erbschulzen) und der schon als Gruppe siedelnden Bauernschaft von Anfang an klarer geregelt, was die Bildung von Gemeinden nicht förderte.

Zunächst waren die Gemeinden die Entscheidungsinstanz für die Art und Intensität der Bodennutzung. Welche Getreide sollten in Dreifelder- bzw. Dreizelgenwirtschaft (s. S. 53) angebaut werden? Sollte die dritte Zelge tatsächlich brach liegen, oder wäre es auf belastbareren Böden nicht sinnvoller, Futterpflanzen (z. B. Wicken) oder Industriepflanzen (Waid und Krapp zum Färben) zu ernten? Sollte man sich die Nähe einer Stadt zunutze machen und Gemüse, Obst oder Gewürzkräuter anbauen, Bienenkulturen und Köhlereien unterhalten? Sollte man gar den investitions- und arbeitsintensiven Weinbau beginnen, was nur in engster Zusammenarbeit gelingen konnte? Wer half beim Gemeinwerk: beim Dreschen, der Flachsbearbeitung, dem Schlachten? Konfliktreich waren Entscheidungen, die den besitzlosen Bewohnern des Dorfes, die man nach Möglichkeit von der Nutzung der Allmende ausschließen wollte, einen Lebensunterhalt ermöglichen sollten; konfliktreich war aber vor allem die Auseinandersetzung mit Grundherr und Vogt. Was die Techniken der Bewirtschaftung anbelangte, so ließen die Herren ihre Bauern gerne gewähren, sofern ihnen diese nur ihre Abgaben lieferten. Grundherrschaft wurde jetzt stärker als Gerichtsherrschaft spürbar. Zäh verteidigten die Bauern in den jährlich mehrmals gehegten Dorfgerichten echtes und vermeintliches Recht gegenüber der Herrschaft, stritten um die Erblichkeit der Pachtverhältnisse und nutzten die Konkurrenz mehrerer am Dorf beteiligter Herren zur Ausdehnung ihrer Rechte. Daß der Boden dem Grundherrn gehörte, mochte niemand bestreiten – doch bedeutete dies nicht, daß die Bauern gänzlich ohne Nutzungsrechte waren! Es gelang ihnen häufig, eine Art Untereigentum am bebauten Land zu erwirken. Umgekehrt beriefen sich die Grundherren auf vermeintlich historische, schwer zu durchschauende bäuerliche Abgabenpflichten, auf das neue, von der frühmittelalterlichen Hörigkeit zu unterscheidende Prinzip der Leibeigenschaft: Neben den üblichen Leistungen mußten Leibeigene persönliche Abgaben erbringen, sei es das notorische Fastnachtshuhn, seien es besonders schmerzliche «Leibfall»-Abgaben. Beim Tod eines Leibeigenen war das beste Stück Vieh aus dessen Stall (das «Besthaupt») oder das beste Gewand («Bestkleid») abzuliefern. Unzufriedenheit mit diesen Verpflichtungen prägte das Klima und trug zur Entstehung ländlicher Unruhen bei, die im Reich so häufig vorkamen wie in keinem anderen europäischen Land.

Wo die Gemeinschaft der Vollbauern mehr war als eine reine Produktionsgenossenschaft, wo Dorfgerichte neben bzw. an Stelle der grundherrlichen Gerichte die niedere Gerichtsbarkeit übernahmen und wo sich die Gesamtheit der Bauern Organe zur Regulierung des Gemeindelebens schuf (einen Vorsteher, einen Ausschuß von geringem Umfang und die Vollversammlung), wurde sie zur Gemeinde nach modernem Verständnis: zum Personenverband, der Herrschaft über ein Gebiet ausübt und dort die Regelungsgewalt innehat. Die Landgemeinden des Reichs standen dabei nicht ohne Verbündete da, denn es ergaben sich in der Auseinandersetzung mit dem Grundherrn Bündnismöglichkeiten mit der entstehenden Landesherrschaft. Freilich vereinten die Gemeinden nicht die gesamte Bewohnerschaft der Dörfer: Tonangebend war die kleine Gruppe der reichsten Bauern (das «Dorfpatriziat»), eine Mittelschicht bildete die Gruppe der Vollbauern («Vollhufner» oder «Huber»). Die dörfliche Unterschicht gehörte der Dorfgemeinde dagegen nicht an, für sie war die Versammlung der Vollbauern eine lokale Obrigkeit. Es galt insbesondere für die «Zuzüglinge», die Hofstatt und Gartenland nach Leiherecht übertragen bekamen, am Hufenland aber allenfalls einen beschränkten Anteil hatten; dies galt auch für die Tagelöhner und Dorfhandwerker. Gerade sie fühlten sich deshalb von den Städten angezogen.

c) Beten oder studieren? Frömmigkeit und erste Universitäten

Die Jahrzehnte vor der Reformation gelten heute als «eine der kirchenfrömmsten Zeiten des Mittelalters» (B. Moeller), ja im gesamten späten Mittelalter wurde die Christianisierung in Deutschland stärker befördert als jemals zuvor. Häresien befanden sich auf dem Rückzug, wenngleich sie nicht gänzlich verschwanden; die Hussiten verbreiteten ihre Botschaft mit Feuer und Schwert, was ihrem theologischen und kirchenreformerischen Anliegen nur schadete. Dies mag erstaunen, da doch gerade jetzt harsche Kritik am Zustand der romzentrierten Klerikerkirche geübt wurde, da man gerne gegen die vermeintliche Ausbeutung der Länder durch «Rom» polemisierte. Man klagte darüber, daß an der Kurie über die Besetzung von Pfründen entschieden wurde, daß die innerkirchlichen Rechtsprechungs- und Verwaltungsvorgänge so bürokratisch waren und angesichts ihrer juristischen Überformung auch eher unchristlich erschienen. Laien und Kleriker litten unter dem häufigen Gebrauch von Kirchenbann und Interdikt.

Aber dennoch führte diese Kritik nicht zwangsläufig in die Reformation hinein. Die für das späte Mittelalter charakteristische Frömmigkeit ist intensiv und zugleich auf Zählbarkeit hin angelegt: Der Heiligen- und Reliquienkult nimmt weiter zu, ebenso wie Wallfahrten und Prozessionen. Auch die Menschen vom Land ziehen in großer Zahl in die Städte, wenn dort Prominente wie der Franziskaner Berthold von Regensburg predigen. Ablaßhandel entsteht, ein Akt des Glaubens unter den Auspizien der Geldwirtschaft. Erstmals in Lüttich feiert man seit der Mitte des 13. Jahrhunderts das Fronleichnamsfest, nach der päpstlichen Anerkennung setzt es sich bald allgemein durch. Im großen Stil werden Meß- und Seelgerätstiftungen getätigt, eine Vielzahl von (oft mißtrauisch beobachteten) Meßpriestern zelebriert an den zahllosen Altären der Kirchen. Die Seelsorge verrichten die Hauptpriester der Pfarrkirchen, in zunehmendem Maß in Konkurrenz zu diesen auch die Priester aus den Bettelordenskonventen. In der Frömmigkeitsbewegung spielen Frauen eine hervorragende Rolle, sie verschreiben sich der mystischen Gottesschau und streben in so großer Zahl danach, in die Dominikanerinnenkonvente aufgenommen zu werden, daß man von einer Überfüllungskrise sprechen kann.

Prägend für das Christentum sollte bei alledem sein, daß die Menschen nicht als jeweils Einzelne handelten, sondern daß die Suche nach dem Seelenheil abermals die Bildung sozialer Gruppen beförderte. Die Gemeinschaften der Mönche wurden reformiert, wobei die radikale Weltentsagung der Kartäuser Vorbild für alle Religiosen war. In der Entstehung von «Observanzen» zumal beim Benediktinerorden, der doch Wert auf die Selbständigkeit der Einzelklöster legte, kommt das Bedürfnis nach einer erneuterten Besinnung auf die Ordensregel zum Ausdruck. Doch nicht nur die Mönchsgemeinschaften veränderten ihre Gestalt: Die gemäßigte Spiritualität der *Devotio moderna* zielte darauf, weltliches an klösterliches Leben anzunähern, die strikte Scheidung von Klerikern, Mönchen und Laien zu überwinden. Die Bezeichnung «Brüder und Schwestern vom gemeinsamen Leben» war Programm, statt eines Klosters lebte man in einem «Haus», kein Abt, sondern ein «Rektor» leitete es. Auch die Beginenbewegung schaffte sich ausgehend vom Niederrhein Raum, ohne daß sie in die Gründung eines neuen Ordens münden sollte. Aus dem spätmittelalterlichen Köln kennt man 169 Beginenhäuser, in Straßburg waren es immerhin ca. 60. Spricht man vom «Semireligiosentum», dann meint man damit Gemeinschaftsformen, die den Laien erlaubten, ähnlich wie in einem Orden zu leben, ohne daß sie die strengen Verpflichtungen von Mönchen bzw. Nonnen hätten eingehen müssen. Vielen der Beteiligten gelang durch den Schritt in die Gemeinschaft der soziale Aufstieg. Die Laien, die an dieser Bewegung teilhatten, mußten der Welt nicht entsagen und konnten ihr in Gemeinschaft verbrachtes Leben dennoch intensiver Gott widmen, als dies z. B. in den locker organisierten religiösen Bruderschaften möglich war. Für manche war das Semireligiosentum nur eine Durchgangsstation auf dem Weg zum völlig regulierten Klosterleben, doch die meisten verteidigten ihre Lebensform gegenüber der argwöhnischen klerikalen Hierarchie; «Gleichheit, Freiheit und brüderliche Liebe» (K. Elm) schätzten sie höher als das Ordensleben, das auf Bindung und Gehorsam gegründet war.

Sehr lange dauerte es hingegen, bis im Reich Gruppen ganz anderer Art entstanden, die es in Bologna, Paris und Oxford seit ca. 1200 schon gab und die europaweit maßgeblich für die Verbreitung der scholastischen Wissenschaft waren: die Universitäten. Bis weit ins späte Mittelalter hinein mußten studierwillige junge Männer in die Fremde ziehen, ja es gab im Reich einfach zu wenige kompetente Gelehrte, als daß eine deutsche Universität hätte erfolgreich sein können. Eine Änderung hätte nur aus den Reihen des Klerus heraus eingeleitet werden können. Doch der deutsche Episkopat war sozial exklusiver als der der Nachbarreiche und stand dem Gedanken, daß wissenschaftliche Bildung die Qualifikation für ein Amt erhöhen könnte, fern. In Köln scheint es ein gängiges Vorurteil gewesen zu sein, daß man an den Universitäten seine Zeit mit Dingen vergeude, die man für das Bischofsamt überhaupt nicht brauchen könne. Zum Vergleich: Von den englischen Bischöfen des 15. Jahrhunderts war gerade einmal ein Viertel adlig, alle bis auf sechs hatten studiert.

Erste Anläufe zur Universitätsgründung unternahmen König Karl IV. in seiner böhmischen Metropole Prag (1348) und sein Schwiegersohn Erzherzog Rudolf IV. von Österreich in Wien (1365). Beide Anläufe wollten nicht recht glücken; erst mit der Remigration zahlreicher deutscher Gelehrter aus Paris nach dem Ausbruch des Großen Schismas (1378, s. S. 96) verbesserten sich die Rahmenbedingungen: In Wien, Heidelberg und Köln, im bedeutenden Erfurt und in Leipzig sowie verstärkt seit der Mitte des 15. Jahrhunderts gelangen bis zum Ende des Mittelalters insgesamt 16 Universitätsgründungen, die teils von Fürsten, teils von städtischen Magistraten initiiert worden waren und die immer mehr Scholaren beherbergten – bis zum Ende des Mittelalters ca. 250 000. Gerade im Verlauf des 15. Jahrhunderts wurde das Studium zu einem weit verbreiteten Phänomen. Ein Ulmer Dominikaner meinte 1488 übertreibend, daß es mittlerweile kein Dorf mehr ohne seinen Graduierten gebe; in seiner Jugend habe man solche Leute noch für Wundertiere gehalten, und selbst unter tausend *clerici* habe man damals nicht einen finden können, der eine Universität auch nur gesehen hätte.

Selbst dort, wo sie von den Landesherren gestiftet worden waren, wurden Universitäten nie zu reinen Staatsanstalten; sie blieben Schwureinungen von Gelehrten bzw. Magistern und Scholaren, autonome und autokephale Gebilde, die turnusmäßig ihre Magistrate besetzten und die niedere Gerichtsbarkeit über ihre Angehörigen ausübten. Mochten sie auch oft von den Fürsten reglementiert werden – es war ihre Qualität als geschworene Einung, die die Universität zum überlebensfähigsten Hochschultypus überhaupt machte. Ihr Einzugsbereich war freilich im Unterschied zu den älteren Zentren der scholastischen Wissenschaft in Süd- und Westeuropa eher beschränkt, so daß man für das späte Mittelalter von einer Provinzialisierung der Wissenschaftslandschaft sprechen muß. Doch auf der anderen Seite ist die sozialgeschichtliche Bedeutung dieser Hochschulen kaum zu überschätzen: Auch wer den Besuch nicht mit dem Erwerb eines akademischen Grades abschloß (dies war kostspielig und blieb daher vor allem den ärmeren Scholaren verwehrt), lernte doch gerade an der grundständigen Artistenfakultät (in der die sog. *artes liberales* gelehrt wurden) Wesentliches für die spätere Arbeit in Schreibstube, Verwaltung und Schule. Wem es sogar gelang, an einer der drei «höheren» Fakultäten der Theologie, Jurisprudenz oder Medizin weiterzustudieren, vergrößerte seine Chancen auf eine verantwortungsvolle (und in Maßen einträgliche) Tätigkeit. Zur zeitgenössischen Leitfigur für den sozialen Aufstieg wurde nicht der Theologe, sondern der selbstbewußte Jurist. Auf seine Dienste waren weltliche wie geistliche Fürsten, Städte und Städtebünde mehr und mehr angewiesen, hier schrieb man dem Doktortitel eine buchstäblich adelnde Wirkung zu. Eine neue Funktionselite entstand: die gelehrten Räte im Fürstendienst, die seit der Herrschaft König Ruprechts auch auf der Reichsebene an Einfluß gewannen.

4. Allmähliche Reform und der Aufstieg des Hauses Österreich (1400–1495)

Mit der Absetzung Wenzels war das luxemburgische Projekt eines «hegemonialen Königtums» (s. S. 94) gescheitert. Die Versuche seiner drei unmittelbaren Nachfolger, Königsherrschaft dauerhaft auf die böhmischen Lande zu stützen, sollten scheitern. Was blieb, waren halbherzige und wenig realistische Versuche, dem römisch-deutschen Königtum noch einmal Weltgeltung zu verleihen: Wenzels Nachfolger, der rheinische Pfalzgraf Ruprecht (1400–1410), unternahm einen Italienzug, der kläglich scheiterte, sein Nachfolger, Karls IV. Sohn (das heißt Wenzels Halbbruder) Siegmund, der 1410 in Doppelwahl mit seinem Cousin Jobst von Mähren zur Herrschaft gelangte, war erst nach über 20 Jahren Königsherrschaft erfolgreicher (Kaiserkrönung 1433). Ruprecht wurde im Osten des Reichs überhaupt nicht anerkannt, dort sah man in ihm einen Gegenkönig zu dem glücklosen Premysliden Wenzel, der bis zu seinem Tod (1419) an seinem römischen Königstitel festhielt; Siegmund verblieb zunächst ganz in seinem ungarischen Königreich (seit 1387) und betrat das Reich auch später jahrelang kaum.

Dabei waren die Anläufe zur Intensivierung von Herrschaft unter Ruprecht wie unter Siegmund beachtlich: Am Königshof des Pfälzers begannen Gelehrte eine gewisse Bedeutung zu erlangen, auch unter dem Luxemburger wurden kompetente Laien wie der Egerer Bürgersohn Caspar Schlick mit verantwortungsvollen Funktionen betraut. Man modernisierte die Praxis der Registratur, wobei die kurpfälzische Kanzlei (unter Hinzuziehung von Gelehrten der Heidelberger Universität) der königlichen Kanzlei Starthilfe leistete. Auch die Umorganisation des Hofgerichts wies in die Zukunft. Unter Siegmund wurde 1422 die erste, noch unvollkommene Reichsmatrikel erarbeitet – ein Register der militärisch-fiskalischen Verpflichtungen, die die Reichsstände zu erbringen hatten. Die Nennung in ihr belegte Reichsunmittelbarkeit. Einen beachtlichen Anlauf bedeutete auch das erste Gesetz zur reichsweiten Erhebung einer Kriegssteuer (1427), dessen Exekution jedoch erheblich zu wünschen ließ. Der stärkste, ja unüberwindliche Hinderungsgrund für ein erfolgreicheres Königtum bestand in dessen chronischer Unterfinanzierung, die die insgesamt respektablen Reformanläufe unter Ruprecht und Siegmund konterkarierte.

Gerade in seinen letzten Jahren wurde Ruprecht insbesondere durch die Gegnerschaft des Mainzer Kurfürsten stark behindert. Der Versuch, eine zentrale königliche Münzstätte in Frankfurt zu installieren, scheiterte am Widerstand der rheinischen Kurfürsten, die selbst von der recht jungen Bedeutung des rheinischen Guldens profitierten und keine konkurrierende Goldmünze wünschten. Letztlich schaffte es Ruprecht nicht, die Bestrebungen zur Einberufung eines Konzils politisch zu dominieren, mit dem man das Ende des Großen Abendländischen Schismas befördern wollte; so hatte er auf die Kirchenversammlung, die 1409 in Pisa zusammentrat, keinen Einfluß. Wenngleich dieses als greifbares Ergebnis nur die Kreation eines dritten Papstes erreichte (nun bestand also ein Dreier-Schisma), war mit seiner Einberufung doch ein deutliches Signal gesetzt; weithin akzeptierte man das Konzil als diejenige Instanz, der man die Beendigung des Großen Schismas zutraute.

Gerade unter diesem Gesichtspunkt war der Luxemburger Siegmund (1410–1437) erfolgreicher als sein Vorgänger. Folgenreich war, daß er die heruntergekommene Mark Brandenburg dem Burggrafen von Nürnberg-Zollern übertrug und damit die Landesherrschaft der Hohenzollern im Nordosten inaugurierte (1415/17). Siegmund machte die Einberufung und den Schutz des Konstanzer Konzils (1414–1418) zu seiner Sache. Da dieses mit seiner Unterstützung die drei schismatischen Päpste zur Resignation bewegte bzw. absetzte (Wahl Martins V. im November 1417) und damit in der Tat die Kirchenspaltung beseitigte, konnte sich der Luxemburger im Fortgang seiner langen Herrschaftszeit wirkungsvoll als bedeutender Diplomat und Politiker präsentieren. Außer für diese *causa unionis* engagierte sich die Versammlung auch für die Reform der Kirche an Haupt und Gliedern (*causa reformationis*), indem sie sich gegen den römisch-kurialen Zentralismus der Klerikerkirche stark machte und das Konzil zur obersten Entscheidungsinstanz in

Sachen des Glaubens erklärte. Turnusmäßig sollten künftig Kirchenversammlungen stattfinden. Schon 1423/24 trat das nächste Konzil zu Pavia, das folgende von 1431 bis 1449 in Basel zusammen. Durch die Reformdebatten erlebten auch die Diskussionen um Strukturveränderungen im Reich, also um die Reform der politischen Institutionen, einen starken Auftrieb. Die Reichsreform und die konziliaristische Bewegung des 15. Jahrhunderts sind untrennbar miteinander verknüpft, wie man z. B. am Werk des Theologen Nikolaus von Kues (1401–1464) erkennen kann. Im Hinblick hierauf ist gerade das Basler Konzil als «ein dramatischer Höhepunkt der europäischen Verfassungsdiskussion» bezeichnet worden (E. Meuthen).

Immerhin einige Jahre lang wurde die Reformdebatte auch dadurch befördert, daß man vom Reich eine Schutzfunktion gegenüber den böhmischen Hussiten erwartete – doch dieser Aufgabe konnte es angesichts seiner institutionellen Schwächen nur schwer nachkommen. Indem sich das Konstanzer Konzil der zentralen Glaubensfragen (*causa fidei*) annahm, suchte es die von dem englischen Häretiker John Wyclif inspirierte Lehre des Prager Theologen Johannes Hus einzudämmen. Hus, dem Siegmund freies Geleit garantiert hatte, wurde in Konstanz inhaftiert, verurteilt und als Ketzer verbrannt (1415). Diese Tat einte die sozial und theologisch ausgesprochen heterogenen Dissenter-Gruppen Böhmens: Gemeinsam forderten sie Predigtfreiheit auch für Laien, die Teilhabe der Laien an der Kelchkommunion, die Armut der Kirche und die Bestrafung der Todsünden (Vier Prager Artikel 1420). Bis in die 1430er Jahre hinein waren sie militärisch erfolgreich und bescherten ihren Feinden schmerzliche Niederlagen, seit 1426 auch jenseits der böhmischen Grenzen in Franken, Bayern, Sachsen, Schlesien und Österreich. Erst als die Akteure des Basler Konzils ihre militärischen Kräfte verbraucht hatten (Niederlage eines Kreuzzugsheers bei Taus 1431), begannen sie auf Verhandlungen zu setzen: Die Basler Kompaktaten nahmen nur in sehr gemäßigter Form hussitische Glaubensinhalte auf und waren daher lediglich für die gemäßigten, nicht aber für die radikalen Fraktionen der Hussiten (die Taboriten) akzeptabel. Die Bewegung begann zu verfallen. Hatten die Kämpfe die Reformdebatte im Reich angefacht, so bedeutete ihr Ende zugleich, daß das Engagement für Erneuerung seit den 1430er Jahren wieder nachließ. Doch wurden die Mentalitäten der Zeitgenossen durch die Erfahrung der Hussitenkriege, mehr noch durch die militärischen Erfolge der Osmanen und seit 1474 durch die Burgunderkriege geprägt. Das Gefühl der Bedrohung stiftete Identität und beförderte eine Reichs-Publizistik, die die Schaffung zentraler Institutionen und damit die «Verdichtung» der Reichsverfassung (P. Moraw) propagierte.

Siegmunds Nachfolger war sein habsburgischer Schwiegersohn Albrecht II., der während seiner nur zwanzig Monate dauernden Herrschaft (1438–1439) das Reich nicht betrat, jedoch in Ungarn und Böhmen zum König erhoben werden konnte. Sowohl er als auch sein Vetter aus der leopoldinischen Linie der Habsburger, Friedrich III. (1440–1493), haben die Wahl zum römisch-deutschen König nur zögernd angenommen. Gerade Friedrich wurde von einer sehr hohen Auffassung von der monarchischen Würde und überdies von dem Bestreben geleitet, die Bedeutung seiner Dynastie gegebenenfalls auf Kosten des Reiches zur Geltung zu bringen. Erstmals wurde in seiner Ära ein wirkungsvoller Reichslandfrieden (die sog. «Reformatio Friderici») erlassen und im ganzen Reich zuverlässig publiziert. Jetzt erst kam dem königlichen Kammergericht, das neben dem älteren Hofgericht entstanden war, größere Bedeutung zu. Von Anbeginn prägten gelehrte Juristen seine Tätigkeit.

In der Debatte um den künftigen Status des Reichs meldeten sich nun nicht nur die Kurfürsten, sondern auch die größere Gruppe der weltlichen Fürsten zu Wort. In der Reichspolitik spielten die geistlichen Fürsten und insbesondere das Papsttum, das durch die konziliare Bewegung geschwächt war, nie mehr dieselbe Rolle wie in den vergangenen Jahrzehnten bzw. Jahrhunderten. Das Basler Konzil hatte 1439 Eugen IV. abgesetzt und mit dem frommen Herzog Amadeus VIII. von Savoyen – zum letzten Mal in der Geschichte der Kirche – einen Gegenpapst erhoben, das heißt: ein Schisma initiiert. Friedrich neigte zunächst der Konzilspartei zu, paktierte dann aber mit Papst Eugen. Dies brachte ihm den Ruf ein, unzuverlässig zu sein. Mit

Eugens Nachfolger schloß er 1448 das für ihn günstige Wiener Konkordat ab: Das Landeskirchentum späterer Jahrhunderte wurde damit vorbereitet, zu guter Letzt erhielt Friedrich sogar die Zusage, 17 Bistümer seines Reichs nach eigenem Gusto besetzen zu können.

Außerordentlich schwer tat sich der König dagegen mit anderen Konfliktfeldern seiner Zeit. So hatte er zwar zunächst davon profitiert, daß er als Vormund für die minderjährigen Herzöge im gesamten habsburgischen Gebiet herrschte. Doch provozierte er damit die Stände und mußte, 1452 von seiner Kaiserkrönung zurückgekehrt, seinem jugendlichen Vetter Ladislaus, dem postum geborenen Sohn Albrechts II., die eigenständige Herrschaft in Österreich überlassen. Verlor Friedrich schon zu dessen Lebzeiten den Einfluß auf Böhmen und Ungarn, so erhoben die Stände beider Reiche nach Ladislaus' Tod (1457) sogar Männer aus ihren Reihen zu Königen: in Böhmen den häresieverdächtigen Georg von Podiebrad, in Ungarn Matthias Corvinus, der bis zu seinem Tod (1490) ein gefährlicher Gegner des römischen Königs bleiben sollte. Friedrich, der den Kernraum des Reichs seit 1444 über ein Vierteljahrhundert lang nicht betrat, geriet zeitweise in arge Bedrängnis, wurde von Matthias sogar aus Wien vertrieben und sah die Grundlage nicht nur seiner Herrschaft im Reich, sondern auch in den habsburgischen Landen gefährdet. Um so bedeutsamer war es, daß es ihm 1486 gelang, die Königswahl seines Sohnes Maximilian durchzusetzen.

Praktisch an allen denkbaren Fronten hatte Friedrich in der mittleren Phase seiner Herrschaftszeit Konflikte auszustehen. Im Reich profilierte sich der wittelsbachische Herzog Albrecht IV. als sein Widersacher, gegen den König agierten sein Cousin Siegmund und sein eigener Bruder Albrecht VI., der zeitweise die Herrschaft in den habsburgischen Vorlanden im Westen innehatte und gegen den er sogar mit Georg von Podiebrad paktierte. 1453 registrierte man im lateinischen Europa schockiert, daß Konstantinopel, die Hauptstadt des byzantinischen Reichs, von den Türken erobert worden war. Zwar hätte der römische Kaiser Friedrich als oberster Verteidiger der Christenheit auftreten sollen, doch maßte sich ein anderer Fürst diese Rolle an: Philipp der

Gute, Herr über das schwerreiche Herzogtum Burgund, das während der vergangenen Generationen einen rapiden Aufstieg genommen hatte und das sich mittlerweile als eigenständige politische Größe neben Frankreich und dem Reich etabliert hatte. Als man mit einem Reichsheer gegen Herzog Karl den Kühnen, den Sohn und Nachfolger Philipps, zog, konnte man an das «Nationalgefühl» der Beteiligten appellieren – zu jener Zeit erst war es denkbar, die Gruppe der Handelnden als eine Abstammungsgemeinschaft («Nation») zu imaginieren, die gemeinsame Werte teilte und sich gegen «äußere» Feinde verteidigen mußte. Daß 1475 ein burgundisch-habsburgisches Ehebündnis vereinbart und mit der Verheiratung Maximilians mit Maria, der Tochter Herzog Karls des Kühnen, auch eingelöst wurde, hatte weitreichende Folgen: Gegen massiven französischen Widerstand gelangte Maximilian (1486–1519) in den Besitz der wohlhabenden flämisch-reichsniederländischen Territorien. Auch die Nachfolgeansprüche des Königs in Ungarn und Böhmen wurden mit dem Frieden von Preßburg (1491) akzeptiert, und auch damit wurde ein Herrschaftsverbund begründet, der Jahrhunderte Bestand haben sollte. Alle diese Ansprüche mußte man militärisch durchsetzen – Maximilian brach mit der Tradition der ritterlichen Kriegsführung und stützte sich auf Landsknechte und Artillerie. Freilich waren Habsburger und Burgunder durch ihre verlustreichen Auseinandersetzungen mit den schweizerischen Eidgenossen geschwächt worden.

Nach Friedrichs Tod (1493) zeigte Maximilian Interesse, der französischen Expansionspolitik in Spanien Einhalt zu gebieten. Die Unterstützung, derer er zu diesem Zweck bedurfte, mußte mit den Ständen ausgehandelt werden. Sowohl er als auch sein Vater hatten eine Reform des Reichs favorisiert, nach der allein der Monarch über Frieden und Recht zu wachen hatte und nach der sich die Teilhabe der Stände darin erschöpfte, die hierzu erforderlichen Mittel bereitzustellen. Auf dem Wormser Reichstag von 1495 fand man einen Kompromiß, der das Kernstück der künftigen Reichsverfassung war: Erstens sollte der König fortan jährlich einem Reichstag vorsitzen, der in drei Kurien gegliedert war: Kurfürsten, Fürsten und (lange Zeit nicht stimmberechtigte) Städte. Dieser Reichstag sollte die Belange des Reiches diskutieren und Entscheidungen herbeiführen. Zweitens vereinbarte man einen «ewigen», das heißt nicht mehr auf begrenzte Zeit erlassenen Landfrieden, dessen Übertretung schwere Strafen nach sich zog; die Fehdeführung wurde nun «bedingungslos kriminalisiert» (K.-F. Krieger). Dieser Landfriede kam in die Obhut eines neu zu etablierenden Gerichts. Aus dem königlichen Kammergericht wurde das Reichskammergericht, das nicht mehr ausschließlich der König beschickte. Zur Finanzierung der Reichsaufgaben beschloß man die Einführung einer allgemeinen Reichssteuer, des sog. Gemeinen Pfennigs; die Umsetzung erwies sich als problematisch, weigerte sich doch selbst Maximilian, den Pfennig für die habsburgischen Lande zu entrichten. Einen Abschluß fand der damit angestoßene Reformprozeß freilich erst mit der Exekutionsordnung des Augsburger Religionsfriedens von 1555, doch sieht man in den Beschlüssen des Wormser Reichstags heute allgemein das Ende der mittelalterlichen Versuche politischer Organisation. Eine neue, verrechtlichte und institutionengestützte Reichsverfassung war da, getragen von dem dualistischen Prinzip des Ausgleichs zwischen Reichsspitze und Reichsständen, eingebettet in eine europäische Mächtekonstellation, innerhalb derer sich das dezentrale Reich mit seinen vielen Territorien und Dynastien (von denen die habsburgische eine Supermacht war) freilich stets exotisch ausnehmen sollte.

V. Epilog:
Die Humanisten entdecken die deutsche Nation

Die Krisenstimmung, die im Reich des 15. Jahrhunderts herrschte, wurde zweifellos von dem kritischen Zustand der gesamten *res publica christiana* genährt. Die Konflikte zwischen den europäischen Reichen dauerten an, die Expansion des Osmanischen Reiches erzeugte Angst vor muslimischer Eroberung und nährte, zumal seit der türkischen Eroberung Konstantinopels (1453), einen Diskurs über die sog. «Türkengefahr». Auf die Hussitenkriege folgte im Reich, mit einigem Abstand, der französisch-burgundische Druck im Südwesten, vor allem im Elsaß. Karl den Kühnen bezeichnete man dabei gerne als den *Türk im Occident*. Hinzu kamen bis ca. 1470 die Unzufriedenheit mit den mangelhaften Fortschritten der Reichsreform und die Polemik gegen das Papsttum und seine Institutionen.

In der zweiten Jahrhunderthälfte änderte sich allmählich das Kollektivbewußtsein der Eliten im Reich. Als Kaiser Friedrich III. im Kampf gegen Karl den Kühnen erstmals deutlich an ein deutsches Nationalbewußtsein appellierte, war die Resonanz bemerkenswert: Militärische Leistungen wurden plötzlich von Fürsten erbracht, die der Reichsspitze bislang fern gestanden hatten. Gerade aus dem umkämpften Elsaß vernahm man patriotische Töne, wurden die alten, antifranzösischen Feindbilder und die neuen, die «deutsche Nation» beschwörenden Formeln mit Emphase verwendet. In Basel und Straßburg verlangten Gebildete, daß endlich eine Geschichte der Deutschen geschrieben würde, die die Nation über ihre edle Vergangenheit aufklärte. Der wichtigste Impuls für einen Bewußtseinswandel kam von der Wiederentdeckung von Tacitus' «Germania» im Jahre 1455 (s. S. 9). Hatten die Deutschen der abschätzigen Bewertung als kulturlose *barbari*, wie sie vor allem in Italien populär war, bisher wenig entgegenzusetzen gehabt, so schilderte die Schrift des römischen Geschichtsschreibers und Ethnographen die Germanen ganz im Gegenteil als edel, lebenstüchtig und militärisch potent. Hierdurch vermochte man der «deutschen Nation» eine bis weit in die Antike zurückreichende Vergangenheit zuzuschreiben – man setzte sie kurzerhand (und objektiv falsch) mit den Germanen gleich. «Unser, unser sind der Goten, Vandalen und Franken Heldentaten», jubelte der Humanist Beatus Rhenanus (vgl. S. 10). War jetzt im reichspolitischen Kontext von der Nation die Rede, dann meinte man nicht mehr ausschließlich den hohen Reichsadel, dachte aber andererseits auch noch nicht (wie im späten 18. und 19. Jahrhundert) an die Gesamtheit der Deutschen als Subjekt ihrer eigenen Geschichte. Jener frühe Nationalismus, den die Humanisten dank der krisenhaften Atmosphäre im Reich entfachen konnten, blieb ein Elitenphänomen.

Vor allem aber war er nicht stark genug, als daß man mit seiner Hilfe die politische Zerklüftung des Reichs hätte überwinden können. Viel Skepsis sollte dieser deutschen Einheitsfiktion in den folgenden Jahrhunderten entgegenschlagen. Das ist kein Wunder, denn die Wirklichkeit der staatlichen Zersplitterung legte andere Schlüsse nahe: Als Vaterland bezeichnete man in der Neuzeit vornehmlich «sein» Preußen, «sein» Bayern oder – wie in Goethes Fall sogar – «sein» Frankfurt. Der scharfsinnige Wieland wußte: «Die Deutsche Nation ist eigentlich nicht Eine Nation, sondern ein Aggregat von vielen Nationen». Ein französischer Zeitgenosse mit einer noch spitzeren Zunge ging sogar noch weiter, indem er den lockeren Staatenverband jenseits des Rheins, zu dem das *Sacrum Romanum Imperium* im Dreißigjährigen Krieg vollends geworden war, verspottete: es sei weder heilig noch römisch noch ein Reich! Seit den Reformbeschlüssen von Worms (1495) hatten sich die Strukturen des *Imperium* wenig geändert. Doch wurden sie in dem Klima, das das Zeitalter der Revolutionen prägte, gänzlich anders bewertet.

Hinweise zum Weiterlesen

Wichtig ist zu wissen, daß es das «Lexikon des Mittelalters» gibt, das zwischen 1980 und 1999 erschien. Zur Vertiefung der in der Einleitung angesprochenen Probleme empfehle ich die Arbeiten von O. G. *Oexle*, z. B. «Das entzweite Mittelalter», in: G. Althoff (Hg.), Die Deutschen und ihr Mittelalter, Darmstadt 1992; ferner *J. Ehlers*, «Die Entstehung des deutschen Reiches», München 1998; außerdem den Beitrag von *K. F. Werner* zum Art. «Volk, Nation», in: O. Brunner, W. Conze, R. Kosselleck (Hg.), Geschichtliche Grundbegriffe. Historisches Lexikon zur politisch-sozialen Sprache in Deutschland. Bd. 7, Stuttgart 1992.

Geht es um die europäische Dimension der deutschen Geschichte, dann empfehle ich *M. Bloch*, «La société féodale», Paris 1939 (dt. Übers.: «Die Feudalgesellschaft», Berlin/Wien 1982); für das frühe Mittelalter *H. Fichtenau*, «Lebensordnungen des 10. Jahrhunderts. Studien über Denkart und Existenz im einstigen Karolingerreich» (als Taschenbuch München 1992); für das Hochmittelalter *M. Borgolte*, «Europa entdeckt seine Vielfalt, 1050–1250», Stuttgart 2002. Die im Oldenbourg-Verlag, München, erschienene Reihe «Grundriß der Geschichte» gibt den besten Einblick in die Forschungslage. Von recht unterschiedlicher Qualität sind die Beiträge zu den bisher erschienenen Bänden der «New Cambridge Medieval History».

Zur deutschen Geschichte: Zur Vertiefung empfehle ich insbesondere die drei Bände der Propyläen Geschichte Deutschlands: *J. Fried*, «Der Weg in die Geschichte. Die Ursprünge Deutschlands bis 1024», Berlin 1994; *H. Keller*, «Zwischen regionaler Begrenzung und universalem Horizont. Deutschland im Imperium der Salier und Staufer 1024–1250», Berlin 1985; *P. Moraw*, «Von offener Verfassung zu gestalteter Verdichtung. Das Reich im späten Mittelalter, 1250–1490», Berlin 1985. Die Forschungslage präsentieren die Bände der im Oldenbourg-Verlag, München, erschienenen Reihe «Enzyklopädie deutscher Geschichte» – die o. g. Arbeit von *Ehlers* gehört ihr an. Der Verlag Kohlhammer, Stuttgart, publiziert eine Reihe von Monographien, die zumeist den Herrscherdynastien gewidmet sind – sie sind für die politische Geschichte unentbehrlich. Zur Sozialgeschichte des späten Mittelalters sollte man hinzuziehen: *E. Schubert*, «Einführung in die deutsche Geschichte im Spätmittelalter», Darmstadt [2]1998.

Die Könige und Kaiser von den Ottonen bis zu Maximilian

Sog. Gegenkönige sowie die Mitregentschaften von Söhnen zu Lebzeiten des Vaters bleiben unberücksichtigt.

Ottonen:

Heinrich I.	(919–936)
Otto I. der Große	(936–973)
Otto II.	(973–983)
Otto III.	(983–1002)
Heinrich II.	(1002–1024)

Salier:

Konrad II.	(1024–1039)
Heinrich III.	(1039–1056)
Heinrich IV.	(1056–1106)
Heinrich V.	(1106–1125)

Haus Süpplingenburg:

Lothar III.	(1125–1137)

Staufer:

Konrad III.	(1138–1152)
Friedrich I. Barbarossa	(1152–1190)
Heinrich VI.	(1190–1197)

Phase des staufisch-welfischen Thronstreits:

Otto IV. (Welfe)	(1198–1218)
Philipp (Staufer)	(1198–1208)
Friedrich II. (Staufer)	(1212–1250)

Könige des sog. Interregnum:

Konrad IV.	(1237–1254)
Heinrich Raspe	(1246–1247)
Wilhelm von Holland	(1247–1256)
Alfons von Kastilien	(1257–1275, † 1284)
Richard von Cornwall	(1257–1272)

Die «kleinen» Könige nach dem Interregnum:

Rudolf I. v. Habsburg	(1273–1291)
Adolf v. Nassau	(1292–1298)
Albrecht I.	(1298–1308)
Heinrich VII.	(1308–1313)

Häuser Habsburg, Wittelsbach, Luxemburg:

Ludwig der Bayer	(1314–1347)
Friedrich der Schöne	(1314–1330)
Karl IV.	(1346–1378)
Wenzel	(1378–1400, † 1419)
Ruprecht	(1400–1410)
Siegmund	(1410/11–1437)
Albrecht II.	(1438–1439)
Friedrich III.	(1440–1493)
Maximilian I.	(1493–1519)

Personenregister

Abkürzungen:
Bf. = Bischof
Erzbf. = Erzbischof
fränk. = fränkisch
Gf. = Graf
Hg. = Herzog
Kg. = König
Ks. = Kaiser
Landgf. = Landgraf
Markgf. = Markgraf
Pfalzgf. = Pfalzgraf